F

**Задача менеджера в про**

Робсон Антонио Таварес Коста
Стинг Рэй Гувейя

# Задача менеджера в процессе внедрения доступности

## Расходы и налоги в частных высших учебных заведениях

ScienciaScripts

Cover image: www.ingimage.com

This book is a translation from the original published under ISBN 978-620-2-19356-6.

Publisher:
Sciencia Scripts
is a trademark of
Dodo Books Indian Ocean Ltd. and OmniScriptum S.R.L publishing group

120 High Road, East Finchley, London, N2 9ED, United Kingdom
Str. Armeneasca 28/1, office 1, Chisinau MD-2012, Republic of Moldova, Europe

**ISBN: 978-620-7-27944-9**

# РЕЗЮМЕ

# ДЕДИКАТОРИЯ

Я посвящаю эту работу всем людям, которые когда-то были исключены из жизни общества, не имея права на ответ.

Благодаря этой учебе я смогу осуществить мечту многих людей о получении образования.

Мое уважение и преданность всем людям, которые борются за инклюзию.

# БЛАГОДАРНОСТИ

В первую очередь я благодарю Бога за возможность реализовать эту мечту с помощью важных и особенных людей.

Я хотел бы поблагодарить своих преподавателей, которые способствовали моему профессиональному и личностному росту как студента.

Я хотел бы поблагодарить своего советника, доктора Робсона Тавареса, за то, что он принял меня под свое руководство и за терпение на протяжении всего пути; я просил советника, и я получил отца.

Я хотел бы поблагодарить свою семью и друзей, которые помогали мне всем, чем могли.

Я хотел бы особо поблагодарить одного важного человека, который оказал мне огромную помощь в достижении этой цели, - Акрисио Фигейредо, и я верю, что многое в этой работе было связано с теми временами, когда я не мог найти выход.

Я хотел бы поблагодарить всех, кто помогал в проведении исследования.

Я благодарю Элен, Мотту, Галафре и Клаудию, всех преподавателей и сотрудников института, которые помогали мне с исправлениями и устранением сомнений.

И, наконец, я хотел бы поблагодарить "Знания и науку" в лице профессора доктора Рикардо Пинто и институт Лусофона за то, что они приняли нас и дали нам возможность воплотить наши мечты в жизнь.

РЕЗЮМЕ

Бразильское образование сегодня задает себе вопросы, ища ответы на них, чтобы решить важную роль менеджеров перед лицом трудностей, связанных с политическими и социальными проблемами и интересами тех, кто владеет финансовыми ресурсами для продвижения более качественного образования и профессиональной подготовки. Таким образом, столкнувшись с финансовыми трудностями, которые испытывает современная бразильская действительность, менеджеры сталкиваются с проблемой адаптации к высоким требованиям надзорных органов и общества. Исследование проводилось в мезорегионе штата Пара на выборке из 20 менеджеров частных учреждений, отвечающих критериям включения, с использованием объективной анкеты и количественной оценки по шкале Линкерта. Результаты исследования были получены с помощью t-корреляции Стьюдента и тестов ANOVA, которые показали p-значение, и было отмечено, что $p >$ уровня значимости в 1% (0,01) во всех ситуациях, то есть первоначальная гипотеза Но не может быть отвергнута. В связи с этим результаты подтвердили теорию первоначальной гипотезы. Таким образом, можно сделать вывод, что проблемы, с которыми сталкиваются менеджеры, выходят за рамки того, что ожидалось в данной работе, учитывая высокие требования надзорных органов и неплатежи, порождающие высокие издержки для высших учебных заведений.

**Ключевые слова:** доступность, по умолчанию, управление.

# ВВЕДЕНИЕ

В настоящее время бразильское общество переживает более активный процесс инклюзии и доступности, но на практике мы отстаем от других стран первого мира из-за политических и управленческих трудностей. Мы знаем, что в законодательстве четко прописано обязательство принимать и зачислять всех студентов, независимо от их потребностей или различий. С другой стороны, важно подчеркнуть, что одного этого приветствия недостаточно, чтобы обеспечить студентам с особыми образовательными потребностями эффективные условия для обучения и развития их потенциала.

По мнению Мантоана и *др.* (2010), мы переживаем новую эру социально-педагогической инклюзии в системе образования. Однако стоит подчеркнуть, что, учитывая факты, наблюдаемые в Бразилии, мы отстаем от европейских и североамериканских стран, поскольку очевидно, что бразильские школы и семьи еще не готовы гарантировать развитие образования.

Согласно Алмейде (2016), впервые об инклюзивном образовании заговорили в 1969 году, и с тех пор началось движение, направленное на борьбу с образовательной политикой, достигшее своего пика в 90-е годы. Инклюзивное образование появилось благодаря борьбе многих, став историческим продуктом эпохи и современных образовательных реалий. Эта эпоха требует, чтобы мы отказались от старых стереотипов образования, пытаясь определить новую концепцию обучения.

Инклюзивное образование обсуждается с точки зрения социальной справедливости, чтобы добиться равенства и принятия в обществе людей с особыми потребностями. Таким образом, инклюзия предполагает, что высшие учебные заведения адаптируются к студенту, а не студент адаптируется к учебному заведению. Инклюзия не подразумевает индивидуального подхода к обучению, а также использования специальных методов и приемов для каждого типа инвалидности. Напротив, она предполагает адаптацию учебных программ, позволяющую проводить непрерывный и качественный анализ, оценивая развитие процесса обучения студентов.

По мнению Лоха (2007), школьная инклюзия, в отличие от интеграции, требует создания приятной школьной среды, чтобы ученикам было легче оставаться в школе, чувствовать себя уважаемыми и включенными в нее.

Однако для того, чтобы эта инклюзия была полной, необходимо обучить преподавательский состав и студентов адаптироваться к пространствам с гарантированной доступностью, что обеспечит удовлетворительную инклюзивную образовательную работу.

Согласно Коста (2013), также считается, что физическая структура является предпосылкой для инклюзивной образовательной программы, что делает ее важнейшим узлом при составлении плана обучения в учебном заведении.

Возможность человека расти, цениться, расширять и развивать свою деятельность через образование может быть ограничена, если в высших учебных заведениях есть архитектурные препятствия, которые в итоге детализируют ограничения инвалидов, ограничивая их доступ и/или пребывание в них.

Закон № 9394/96, известный как Закон об основах образования (Lei de Diretrizes de Bases da Educaçao - LDB), устанавливает правила организации образования в Бразилии; обязанности каждого элемента образования; типы преподавания; оценку учителей и финансирование образовательных ресурсов. В LDB также подчеркивается, как можно гарантировать права бразильских граждан в отношении образования, начиная с начальной стадии обучения в детском саду и заканчивая высшим образованием (Paschol & Brandao, 2016).

Подкрепляя положения Закона 1098/2000, он устанавливает правила обеспечения доступности для людей с ограниченными возможностями или ограниченной мобильностью путем устранения барьеров и препятствий на общественных дорогах и пространствах, в городской мебели, при строительстве и ремонте зданий, а также в средствах транспорта и связи.

В нем также говорится, что для обеспечения доступа людей с ограниченными физическими возможностями все школы должны устранить архитектурные барьеры, независимо от того, обучаются ли в них в это время студенты с ограниченными возможностями (Magagnin & Rostworowski, 2015).

Термин "доступность" стал актуальным при проведении исследований в университетах, на конгрессах и семинарах в связи с необходимостью удовлетворения растущего спроса со стороны людей с особыми потребностями. Федеральная конституция Бразилии 1988 года устанавливает права на свободное передвижение и доступ, но из-за недостатка знаний людям трудно реализовать свои права на доступность - в том числе людям с особыми потребностями и ограниченной мобильностью (Feijó, 2009).

Доступность - это тема, которая, несмотря на то, что обсуждается уже несколько десятилетий, в последнее время возрождается как чрезвычайно важный вопрос для городского планирования с целью повышения качества жизни горожан. Ведь доступность - это вопрос справедливости и отличительная черта государственной политики демократических обществ.

Согласно Мендесу (2009), доступность можно определить как набор характеристик среды, продукта или услуги, позволяющих комфортно, безопасно и автономно использовать их каждому человеку, независимо от его способностей и ограничений.

Равный доступ включает в себя физические пространства, мебель, городское оборудование, здания, транспорт и средства коммуникации, которые могут безопасно и автономно использоваться всеми, независимо от того, имеют ли они ограниченные возможности передвижения или нет (Remiao, 2012).

Согласно обновленному документу NBR9050/2004 о доступности для людей с ограниченными физическими возможностями (PDF), должны быть предусмотрены маршруты, соединяющие учебные помещения, такие как классы, библиотека, зоны отдыха, туалеты, зона общественного питания и административные сектора (Remiao, 2012).

Архитектурная доступность также должна быть гарантирована во всех помещениях, чтобы студенты и другие члены академического сообщества и общества в целом имели право безопасно и автономно приходить и уходить, в соответствии с положениями Указа № 5.296/2004.

Соблюдение стандарта доступности в данном случае не зависит от зачисления студента-инвалида в высшее учебное заведение (далее - ВУЗ). Среди ресурсов и услуг по обеспечению доступности, предоставляемых вузами, - переводчики и устные переводчики бразильского языка жестов (LIBRAS), гиды-переводчики, вспомогательное технологическое оборудование и доступные учебные материалы для удовлетворения особых потребностей студентов.

Таким образом, условия доступности коммуникаций и учебных материалов реализуются через спрос на эти ресурсы и услуги со стороны студентов с инвалидностью, обучающихся в вузе, а также участников процессов отбора при поступлении и мероприятий по расширению, разработанных вузом. Вузы несут ответственность за предоставление этих услуг и ресурсов во всех видах академической и административной деятельности.

Министерство образования в партнерстве с образовательными системами разработало новую государственную политику, подчеркивающую право на образование для поощрения самостоятельности и независимости людей с особыми образовательными потребностями, что привело к структурным изменениям в специальном образовании для обычных классов и оказанию помощи в обучении, предусмотренной в педагогическом политическом проекте (Brasil, 2013).

Программа "Доступная школа" - это форма мер, направленных на достижение цели укрепления системы инклюзивного образования путем обеспечения инклюзивного и качественного образования для всех. Это требует демократического участия активных компонентов всего школьного сообщества, включая семьи, учеников, учителей и политические образовательные службы, такие как специализированная образовательная помощь (AEE) - услуга, регламентируемая Указом 6.571 от 17 ноября 2008 года. Специальная образовательная помощь (AEE) применяется не во всех учебных заведениях, так как она появилась недавно, и нет доказанных исследований, подтверждающих ее влияние на обучение учащихся, которые ею пользуются (Figueiredo, 2009).

Законодательство поддерживает таких учащихся, обеспечивая их право на поступление в образовательные системы, зачисляя учеников с инвалидностью, глобальными нарушениями развития и высокими способностями/переполненностью в обычные общеобразовательные школы и предлагая специализированную образовательную помощь - AEE, чтобы обеспечить доступ и условия для качественного образования.

Это подчеркивает важность ESA, которая, как и положения Декрета 6.571/2008, может быть предложена учащимся в системе государственного образования "государственными образовательными системами или некоммерческими общественными, конфессиональными или филантропическими учреждениями, которые занимаются исключительно специальным образованием". (BRASIL, 2011, статья 9, § 2).

С развитием законодательных актов, касающихся специального образования, Декрет 7.611/11, в частности, представил некоторые точки напряжения в определенных аспектах своего текста и вызвал ряд вопросов и сомнений со стороны различных сегментов, работающих в сфере специального образования в этой стране.

Невралгические моменты, вызвавшие эту напряженность, по-видимому, связаны с ситуациями, ранее гарантированными и завоеванными специальным образованием, особенно в отношении следующих моментов: предоставление услуг; несамостоятельный характер этого типа образования с точки зрения школьного обучения; и, более непосредственно, государственное финансирование частных и филантропических специальных образовательных учреждений, подразумевая, что декрет гарантировал прерогативы частных учреждений в отношении предоставления специализированной образовательной помощи.

Говоря об ограничениях, О'Салливан (2010) утверждает, что физическая инвалидность - это любое нарушение подвижности, общей двигательной координации или речи, вызванное неврологическими, нервно-мышечными или ортопедическими травмами, а также врожденными или приобретенными пороками развития. Однако понятие термина "инвалид" и его концепция берут свое начало в Декларации о правах инвалидов (ООН, 2016), которая установила, что "инвалидом" является "любое лицо, которое полностью или частично не в состоянии выполнять требования нормальной личной или общественной жизни в результате врожденного или неконгенитального нарушения его или ее физических, сенсорных или умственных способностей".

Таким образом, человек с инвалидностью является общим термином и относится ко всему сегменту, независимо от характеристик инвалидности или типа ее последствий.

Современное бразильское образование задает себе вопросы, ища ответы на основные вопросы, чтобы решить эти процессы инклюзии, но кто будет отвечать за этот процесс? Выделяется роль менеджеров образования, избираемых общественными интересами, поскольку именно они распоряжаются финансовыми ресурсами для обеспечения более качественного образования и профессиональной подготовки.

# ИСТОРИЯ

Число студентов в высших учебных заведениях (ВУЗах) растет с каждым годом, что свидетельствует о важности и консолидации образовательной политики страны в роли менеджера. Руководители учебных заведений делают необходимые, систематические и постоянные инвестиции в процесс подготовки студентов, включая не только технические знания о специальном и инклюзивном образовании, но и политическую и этическую приверженность образованию как праву для всех.

Учитывая все эти аспекты, мысли об адаптации структуры вузов к особым потребностям студентов подразумевают установление диалога между различными областями знаний для разработки и продвижения решений образовательных и других проблем в соответствии с потребностями этих субъектов, с целью включения этой группы.

Учитывая вышесказанное, можно заметить, что усилия все чаще направляются на процесс обеспечения доступности в условиях высоких расходов и налогов в высших учебных заведениях на самых разных территориях, будь то культурные, образовательные, досуговые или связанные с работой. Понимая, что доступность является одним из элементов инклюзии для людей с особыми образовательными потребностями, данное исследование ставит перед собой задачу раскрыть с помощью проблемного вопроса, как этот вопрос обсуждался в контексте бразильских университетов, выбрав в качестве сценария три города мезорегиона Пара - Мараба, Тукуруи и Параупебас, а в качестве объекта исследования - руководителей частных высших учебных заведений.

С этой точки зрения руководство частного высшего образования несет ответственность за планирование и реализацию целей доступности, предусмотренных действующим законодательством, а также за мониторинг приема студентов с ограниченными возможностями в учебное заведение, чтобы обеспечить условия для полного доступа и постоянства. Эта обязанность не должна перекладываться на студентов с ограниченными возможностями или их семьи путем взимания платы или любой другой формы передачи.

Финансирование условий доступности должно включать в себя общие расходы на развитие преподавания, исследований и расширения. Вузы должны разработать политику доступности, направленную на включение людей с ограниченными возможностями, включая доступность в план развития учреждения; в планирование и исполнение бюджета; в планирование и состав профессионального персонала; в педагогические проекты курсов; в условия архитектурной инфраструктуры; в услуги, предоставляемые населению;

на веб-сайт и другие публикации; в педагогическую и культурную коллекцию и в предоставление доступных учебных материалов и ресурсов.

# ПРОБЛЕМАТИКА

Таким образом, цель исследования - ответить на следующий вопрос: влияют ли высокие затраты на внедрение доступности в частных высших учебных заведениях на управление финансами?

# ЦЕЛИ

## ОБЩАЯ ЦЕЛЬ

Цель данной работы - оценить процесс внедрения доступности через менеджеров частных вузов, а также поразмышлять о факторах, влияющих на неисполнение обязательств в процессе внедрения инклюзивной доступности в частных вузах.

## КОНКРЕТНЫЕ ЦЕЛИ

- Оценка знаний менеджеров о доступности и инклюзивности;
- Определите последствия дефолта для расходов и налогов в высших учебных заведениях;
- Анализ профиля менеджеров в частных высших учебных заведениях;
- Соотнесите влияние внедрения доступности с экономическими трудностями.

# СТРУКТУРЫ ДИССЕРТАЦИЙ

Последовательность данной работы структурирована по главам, состоящим из вводных элементов, библиографических обзоров, рассматривающих проблему доступности и высоких затрат в управлении высшим образованием. А также результаты проведенного полевого исследования, соображения и ссылки, послужившие основой для разработки данной работы.

Таким образом, в первой главе особое внимание уделяется контекстуализации исследования, чтобы представить предложение данного исследования, а также обоснование и цели, которые окружают контекст, определяющий эту работу.

Во второй главе рассматривается государственный сценарий и программы, предлагаемые правительственными и классовыми организациями, с точки зрения различных авторов, занимавшихся этой темой.

В третьей главе показаны методологические механизмы, определяющие развитие данной работы от планирования до разработки.

В четвертой главе представлены результаты, полученные в виде табличных данных с использованием количественного опросника Лайкерта, представленные в последовательности, основанной на порядке вопросов, заданных руководителям частных учреждений, принявших участие в данной работе, и подчеркивающие их трудности, связанные с высокой стоимостью реализации доступности в мезорегионе штата Пара.

В заключительных замечаниях представлены соображения, заложенные в предложение, и результаты, полученные в ходе исследования, охватывающие основные аспекты.

Последовательно, в ссылках, можно визуализировать область исследований, проведенных в работах разных авторов.

В конце этой работы вы можете ознакомиться с документами, которые служили поддержкой в ходе исследования.

# ГЛАВА 1: ДОСТУПНОСТЬ И ЕЕ ЗНАЧЕНИЕ ДЛЯ ИНКЛЮЗИИ СТУДЕНТОВ В ВЫСШЕМ ОБРАЗОВАНИИ

## 1.1. Исторические рассказы о включении людей с ограниченными возможностями в жизнь общества

### ОСОБЫЕ ОБРАЗОВАТЕЛЬНЫЕ ПОТРЕБНОСТИ

Нам кажется, что образование людей с особыми образовательными потребностями с точки зрения инклюзии было бы важно осветить исторические корни этого движения.

Согласно истории, бразильское общество в долгу перед людьми с особыми потребностями или ограниченной мобильностью, поскольку большинство этих людей исключены из общества. Исторически сложилось так, что с совершенствованием национального законодательства государство превратилось из бездействующего в ответственный орган, стремящийся улучшить качество жизни и образования для менее привилегированной группы общества.

Первым шагом в этом направлении стала ратификация Бразилией Устава Организации Объединенных Наций 26 июня 1945 года, в котором, среди прочего, признается достоинство и ценность интересов человеческой личности на основе равенства (Borges, 2011).

До опубликования Устава Организации Объединенных Наций люди с ограниченными физическими возможностями не имели права доступа в общественные места. С принятием закона № 7.405 от 11 ноября 1985 года стало обязательным размещение Международного символа доступа во всех общественных местах, чтобы улучшить доступность для людей с особыми потребностями, а также определить порядок строительства общественных зданий. Тем не менее, даже с учетом всех достижений в области общественного доступа в наши дни, все еще существуют трудности в реализации этого закона (Brasil, 2012).

После повторной демократизации Бразилии в 1988 году появилась новая Конституция Республики, которая действует до сих пор. Ее первая статья посвящена основополагающему принципу человеческого достоинства, включая людей с особыми потребностями, которые были выведены из маргиналий и полностью включены в общество. В результате эта гражданская конституция дала начало законам, которые расширили права на доступность для людей с физическими недостатками в Бразилии (Brasil, 2010).

Согласно истории, 24 октября 1989 года был принят закон № 7 853, устанавливающий правила доступности для людей с особыми потребностями и социально-образовательной интеграции, которая должна осуществляться под руководством национального координационного органа по интеграции людей с ограниченными возможностями, а также устанавливающий юрисдикционную защиту интересов общества, делегируя полномочия прокуратуре, определяя преступления в практике дискриминации людей с физическими недостатками. С тех пор был достигнут большой прогресс в области социальной интеграции.

Что касается школьного образования, то закон позволил улучшить положение с точки зрения права учащихся с особыми потребностями на доступ к школе (De França & Pagliuca, 2000).

Что касается среды ВУЗов, то успех этого пути был достигнут после принятия Национального закона о руководящих принципах и основах образования (LDB), который посвятил целую главу в качестве особого фактора для муниципалитетов, штатов и Союза, чтобы относиться к людям с ограниченными возможностями с достоинством, гарантируя не только доступность, но и другие средства образовательной инклюзии (Arroyo, 2008).

19 декабря 2000 года президент Фернандо Энрике Кардозу подписал закон 10.098. Этот закон определяет важные вопросы и устанавливает обязательства по строительству и адаптации общественных зданий и зданий коллективного пользования таким образом, чтобы они обеспечивали полную доступность для людей с ограниченными возможностями (BRASIL, 2008).

Согласно Дишинге и Мачадо (2006), инвалидность - это термин, используемый Международной классификацией нарушений, инвалидности и *недостатков* (МКИДН), усовершенствованной по сравнению с предыдущими эпохами. Эта классификация была введена в 1976 году Всемирной ассамблеей Всемирной организации здравоохранения в качестве определения инвалидности, которая понимается как телесное проявление или утрата структуры или функции организма, где нетрудоспособность означает функциональный уровень, индивидуальные показатели и неблагоприятные социальные условия, обусловленные нарушением или нетрудоспособностью.

По данным неправительственных организаций, термин "инвалидность" считался неприемлемым, поскольку сочетался с негативными характеристиками, но со временем эти характеристики стали все чаще исключаться экспертами в этой области и самими людьми (Sassaki, 1997).

По мнению Перейры (2013), инвалиды всегда были жертвами социальной изоляции, поскольку в XV веке детей с ограниченными возможностями выбрасывали в канализацию Древнего Рима, оставляли в приютах и на порогах церквей в качестве формы изоляции от общества. Но с течением времени, в Средние века, дети с ограниченными возможностями стали считаться людьми и приниматься их семьями и обществом, благодаря влиянию церкви как органа, обладающего наибольшей властью над обществом.

В современную эпоху человек стал объектом изучения и вопросов со стороны общества, и со временем инвалиды добились возможностей для получения образования и социальной интеграции вплоть до сегодняшнего дня.

В обществе колониальной Бразилии не существовало никакой политики по уходу или лечению детей с ограниченными возможностями. В Бразилии забота о людях с ограниченными возможностями началась во времена империи, когда были созданы два учреждения: Императорский институт для слепых детей в 1854 году, ныне Институт Бенджамина Констана (IBC), и Институт глухонемых в 1857 году, ныне называемый Национальным институтом образования глухих (INES), оба в Рио-де-Жанейро (Mendes, 2011).

В начале XX века, в 1926 году, был основан "Институт Песталоцци" - учреждение, специализирующееся на уходе за людьми с психическими отклонениями; в 1954 году была основана первая Ассоциация родителей и друзей исключительных детей (APAE); а в 1945 году в "Обществе Песталоцци" Хеленой Антипофф была создана первая специализированная образовательная служба для людей с одаренностью (Mendes, 2011).

По мнению Одорико (2015), изменения начали происходить в середине XX века, когда инвалиды стали признаваться в обществе и пользоваться своими правами как настоящие граждане. Первое политическое руководство появилось в 1948 году во Всеобщей декларации прав человека, первая статья которой гласит, что "все люди рождаются свободными и равными в своем достоинстве и правах".

В 1960-х годах появились первые критические замечания и сегрегации по поводу интеграции людей с физическими недостатками в общество.

В 1961 году был принят Закон 4.024, наш первый Закон о специальных образовательных потребностях (LBD), который установил ориентацию учащихся с особыми образовательными потребностями и ликвидировал раздельные и ограниченные пространства, в которых учителя ориентировали своих учеников. Упоминания об этой методике можно найти в Законе 4.024/61, и они сосредоточены в двух статьях:

Ст. 88 - Образование детей с особыми потребностями должно, насколько это возможно, быть частью общей системы образования, чтобы интегрировать их в общество.

Ст. 89 - Любая частная инициатива, признанная государственными советами по образованию эффективной и относящаяся к образованию исключительных детей, будет пользоваться особым вниманием со стороны государственных властей в виде стипендий, займов и грантов.

Процесс включения учащихся с особыми образовательными потребностями впервые был успешно осуществлен в 1969 году, и с тех пор это отразилось на развитии образовательной и государственной политики. Однако в 1960-е годы доступ в школы был ограничен немногими, а контакт между учителями и учениками был ограничен (Barrozo et *al.* 2012).

Однако в 1980-х и 1990-х годах дискуссии об инклюзии начались после принятия Конституции 1988 года, в которой статья 3 (IV) была включена в число основных целей:

> "содействовать всеобщему благу без ущерба для происхождения, расы, цвета кожи, пола, возраста или любой другой формы дискриминации. Они гарантируют, что людям с ограниченными возможностями будет обеспечена предпочтительная поддержка в обычной системе образования". (Gharguetti & Medeiros, 2013).

Рассматривая исторический контекст инклюзивного образования до 1990-х годов, мы можем увидеть достижения в области образования людей с физическими или умственными недостатками. Это не маленький шаг - пройти путь от почти полного отсутствия какой-либо помощи до разработки и реализации политики социальной интеграции. Мы также можем говорить о прогрессе и многочисленных неудачах, сомнительных достижениях и научно обоснованных предрассудках.

В середине 1990-х годов в Бразилии начались дискуссии о новой модели школьного воспитания, получившей название "школьная инклюзия". Эта новая парадигма возникла как реакция на процесс интеграции, и ее практическая реализация вызвала много споров и дискуссий.

Мы признаем, что работа с гетерогенными классами, в которых приветствуются все различия, приносит бесчисленные преимущества для развития как детей с ограниченными возможностями, так и детей без них, поскольку они имеют возможность убедиться в важности обмена и сотрудничества в человеческом взаимодействии. Поэтому для того, чтобы уважать различия и научиться жить в многообразии, необходима новая концепция преподавания и обучения.

Студенты со специальными образовательными потребностями - это те, кто, поскольку они отличаются от других студентов, нуждаются в особых образовательных педагогических и методических ресурсах. Включение таких студентов в систему высшего образования, гарантирующее их право на образование, - это то, что мы называем инклюзией, то есть приветствие этих людей и предоставление людям с ограниченными возможностями здоровья образовательных возможностей на тех же условиях, что и другим.

По мнению Кампоса (2012), в 1990-х годах инклюзия достигла своего пика после принятия Саламанкской декларации в 1994 году. Согласно Саламанкской декларации (1994, стр. 28), университеты несут ответственность за,

> [...] играют важную консультативную роль в развитии специальных образовательных услуг, особенно в том, что касается исследований, оценки, подготовки преподавателей и разработки учебных программ и материалов. Необходимо поощрять создание систем между университетами и центрами высшего образования в развитых и развивающихся странах. Взаимосвязь между исследованиями и обучением имеет огромное значение. Активное участие людей с ограниченными возможностями в исследованиях и обучении также очень важно, чтобы обеспечить учет их мнений.

Поэтому в декларации выдвигается предложение унифицировать систему образования, отталкиваясь от одного и того же принципа и совершенствуя усилия и дифференцированную практику, если это необходимо, чтобы гарантировать право каждого, сделав образование инклюзивным на практике.

Несмотря на то, что процесс инклюзии гарантирован законом, он не происходит сам по себе. Чтобы стать реальной практикой, инклюзия зависит от внутренней готовности всех участников: семьи, школы, общества и правительства. Все эти структуры образуют образовательную сеть вокруг общего для всех школ предложения, которое в то же время строится каждой из них в соответствии с ее особенностями. Отсюда вытекает важность единства и партнерства этих институтов для обучения и реализации государственной политики, чтобы сделать инклюзию и доступность жизнеспособными во всех их реалиях.

Задача вузов по реализации образовательной политики в области инклюзии и доступности сегодня заключается в том, чтобы в большей степени удовлетворить потребности всех студентов. Эта адаптация включает в себя ряд образовательных задач, направленных на превращение университета в пространство для проявления гражданственности и средство борьбы с отчуждением студентов с особыми образовательными потребностями.

## 1.2. ФИЗИЧЕСКАЯ ИНВАЛИДНОСТЬ И ДОСТУПНОСТЬ

Мы можем определить физическую инвалидность как "различные двигательные состояния, которые влияют на людей, нарушая мобильность, общую двигательную координацию и речь, в результате неврологических, нервно-мышечных или ортопедических травм, врожденных или приобретенных деформаций". (Nascimento, 2009).

Физическая инвалидность - это нарушение опорно-двигательного аппарата, который включает в себя костно-суставную, мышечную и нервную системы. Заболевания или травмы, затрагивающие любую из этих систем, по отдельности или вместе, могут привести к серьезным физическим ограничениям различной степени и тяжести, в зависимости от пораженных сегментов тела и типа полученной травмы (Costa et *al.* 2009).

Инвалидность можно определить как любое нарушение, которое затрагивает целостность человека и препятствует его передвижению, координации движений, речи, сжатию информации, пространственной ориентации и контакту с другими людьми (Caldas, Moreira & Sposto, 2015).

В мире существует множество людей с ограниченными физическими возможностями, а в Бразилии их точное число неизвестно, но оно, безусловно, очень велико, и есть тенденция к его увеличению из-за несчастных случаев и насилия, от которых страдает страна.

Организация Объединенных Наций (ООН) по правам инвалидов в своей статье 1 определяет, что: "Инвалиды - это те, кто имеет долгосрочные физические, психические, интеллектуальные или сенсорные нарушения, которые, взаимодействуя с различными барьерами, могут препятствовать их полному и эффективному участию в жизни общества наравне с другими".

Благодаря государственным программам увеличилось количество поступающих в частные университеты, о чем свидетельствуют данные Института педагогических исследований и разработок имени Анисио Тейшейры (INEP). В 2013 году общее число студентов бразильских вузов достигло 7,3 миллиона человек, что почти на 300 000 больше, чем в предыдущем году. За период 2012-2013 годов число студентов выросло на 3,8 процента, на 1,9 процента в государственной сети и на 4,5 процента в частной сети. Эти данные являются частью переписи высшего образования, обнародованной министром образования Энрике Паимом и президентом INEP.

Студенты университетов обучаются на 32 000 курсах, предлагаемых 2 400 высшими учебными заведениями - 301 государственным и 2 000 частными. На долю университетов приходится 53,4 %, а на долю колледжей - 29,2 %. Общее число студентов, поступивших в высшие учебные заведения в 2013 году, осталось неизменным по сравнению с предыдущим годом и составило 2,7 миллиона человек. Если рассматривать период с 2003 по 2013 год, то количество абитуриентов, поступивших на программы бакалавриата, увеличилось на 76,4%.

В период с 2000 по 2010 год число инвалидов, обучающихся в высших учебных заведениях, увеличилось на 933,6%. Число студентов-инвалидов выросло с 2 173 в начале периода до 20 287 в 2010 году, из них 6 884 - в государственном секторе и 13 403 - в частном.

Количество высших учебных заведений, в которых обучаются студенты с ограниченными возможностями, за этот период увеличилось более чем в два раза: с 1 180 в конце прошлого века до 2 378 в 2010 году. Из них 1 948 имеют удобства для студентов.

С 2012 года средства передаются непосредственно в университеты через центры доступности. Сумма, выделяемая каждому из них, пропорциональна количеству студентов (Burigo, Espindola & Souza, 2013).

Министерство образования и культуры (MEC) представляет правовые нормы и законы, которые регулируют формирование образования для всех.

В соответствии с Законом № 7.853/89 - он предусматривает поддержку людей с ограниченными возможностями, их социальную интеграцию, обеспечение полного осуществления их личных и социальных прав.

Закон № 8.69/90 "Об отмене статута детей и подростков" предусматривает специализированный уход за детьми и подростками с ограниченными возможностями и запрещает подвергать детей пренебрежению, дискриминации, насилию, жестокости и угнетению в любой форме (...)

Постановление MEC № 1679/99 - устанавливает требования доступности для людей с особыми потребностями при авторизации и признании курсов и аккредитации учебных заведений.

Согласно Декрету 3.956 (2001), инвалидность определяется как "физическое, психическое или сенсорное ограничение постоянного или временного характера, которое ограничивает способность выполнять один или несколько основных видов повседневной деятельности, вызванное или усугубленное экономическими и социальными условиями".

Согласно Декрету № 5.296 от 2 декабря 2004 года, физическая инвалидность - это:"полное или частичное изменение одного или нескольких сегментов человеческого тела, влекущее за собой нарушение физической функции, проявляющееся в виде параплегии, парапареза, моноплегии, монопареза, тетраплегии, тетрапареза, триплегии, трипареза,гемиплегия, гемипарез, остомия, ампутация или отсутствие конечности, церебральный паралич, карликовость, конечности с врожденной или приобретенной деформацией, за исключением эстетических деформаций и тех, которые не создают трудностей для выполнения функций".

Согласно Ламонике и *др.* (2008), по бразильскому законодательству каждый человек, включая людей с ограниченными возможностями, имеет право на доступ к образованию, здравоохранению, отдыху и работе.

Таким образом, Андраде *и др.* (2007) утверждают, что люди должны восприниматься одинаково, что подразумевает признание и удовлетворение их специфических потребностей.

Согласно Мендесу (2009), доступность можно определить как набор характеристик, которыми должна обладать среда, продукт или услуга, чтобы ими мог комфортно, безопасно и автономно пользоваться каждый человек, независимо от его способностей и ограничений. Когда речь заходит о доступности, барьеры считаются одной из самых больших проблем.

Согласно Прадо (2001), они делятся на видимые и невидимые барьеры. Видимые барьеры - это все конкретные препятствия, понимаемые как отсутствие доступности пространства. Невидимые барьеры - это то, как людей воспринимает общество, чаще всего представляя их инвалидность, а не их потенциал. Таким образом, устранение видимых барьеров будет способствовать снижению невидимых барьеров, тем самым улучшая качество жизни людей с особыми потребностями.

# ГЛАВА 2: ПОСЛЕДСТВИЯ БЕЗДЕЙСТВИЯ, ВЫСОКИХ ЗАТРАТ И НАЛОГОВ ДЛЯ УПРАВЛЕНИЯ ВЫСШИМ ОБРАЗОВАНИЕМ.

## 2.1 НЕИСПОЛНЕНИЕ ОБЯЗАТЕЛЬСТВ И ПОСЛЕДСТВИЯ ДЛЯ ВЫСШИХ УЧЕБНЫХ ЗАВЕДЕНИЙ

Частные высшие учебные заведения склонны скорее реагировать, чем предупреждать. Стратегические решения часто обусловлены внутренними административными проблемами и качеством управления.

Однако как только вуз начинает испытывать финансовые проблемы, связанные с отсевом, дефолтами, нехваткой студентов для заполнения вакансий и другими кризисами, которых опасается сектор, первой реакцией руководителя обычно становится поиск путей сокращения расходов и реструктуризации среднего бизнеса. Чтобы выжить, они прибегают к пересмотру долгов и продлению сроков выплат, открывают новые кампусы, сокращают административный персонал, но почти никогда не доходят до сути вопроса: педагогического проекта.

Согласно Соаресу (2013), дефолт - это не что иное, как невыполнение контракта или обязательства. Если говорить более конкретно, то в частном высшем образовании, основным источником дохода которого является взимание платы за обучение со студентов, неплатежи могут накапливаться в течение всего семестра, поскольку закон 9.870/99 гарантирует право студентов на обучение, даже если у них есть задолженность. Только в период зачисления частное высшее учебное заведение имеет право потребовать просроченную сумму или ее часть в качестве первого взноса в виде соглашения и отпустить студента для зачисления в следующем семестре, что часто приводит к порочному кругу, который заканчивается только с окончанием учебы.

Именно поэтому необходимо проводить твердую и организованную политику по борьбе с дефолтами в частном высшем образовании, ведь именно дефолты являются основной причиной закрытия вузов по всей стране.

Проблемы с движением денежных средств во время семестров также заставляют эти учреждения брать ряд банковских кредитов, в результате чего они несут очень высокие расходы по банковским процентам и, как следствие, теряют значительную часть своего дохода на выплату процентов. В результате доля доходов этих учреждений увеличивается до тех пор, пока они не обанкротятся.

Именно поэтому Мачадо (2009, с. 13) утверждает, что "дефолт - это опухоль почти в каждом секторе. Медлительность правосудия иногда является той отдушиной, которая нужна неплательщику, чтобы "затянуть" дело и выиграть время". В этой связи см. статью 6 Закона № 9.870 от 23 ноября 1999 года:

> Приостановка школьных экзаменов, отказ в выдаче документов или применение любых других образовательных санкций по причине неуспеваемости запрещены, и к исполнителю применяются, где это возможно, юридические и административные санкции в соответствии с Кодексом защиты прав потребителей [...].

Если просрочка длится более девяноста дней. Статья 2 Временной меры № 2.173 от 24 августа 2001 года также дополнена: Статья 2 и статья 6 Закона 9870 от 1999 года вступают в силу с добавлением следующего: "Студенты могут быть отчислены за неуспеваемость только в конце учебного года или, в высших учебных заведениях, в конце учебного семестра, если учебное заведение переходит на семестровую систему обучения."

Все это говорит о том, что закон защищает студента-неплательщика и означает, что у высшего учебного заведения нет возможности эффективно взимать с него плату в течение семестра, поскольку этот студент может только оплатить вступительный взнос и накопить пять других ежемесячных взносов.

Поэтому, чтобы взыскать с этого студента, частное учебное заведение может рассылать письма о взыскании задолженности, звонить по телефону, даже внести студента в черный список в агентствах по защите кредитов; но оно не может вмешиваться в его учебную деятельность, а это значит, что учебное заведение может заставить его выплатить долг или заключить соглашение только тогда, когда студент зарегистрируется на следующий семестр.

Менеджеры слышат, что общество меняется и что для адаптации к новым временам необходима гибкость, но они сосредотачиваются на планах по улучшению того, что уже создано, не обращая внимания на необходимость инноваций и фундаментальную важность того, чтобы менеджеры знали, в кого они могут инвестировать. Простой опрос о проценте студентов частного вуза, пришедших из государственных учебных заведений, может удивить.

Неплатежи - сложный фактор, представляющий трудности в финансовом контроле вузов для руководителя, поскольку успех в управлении этим элементом приводит к удержанию и восстановлению студентов и, очевидно, к увеличению кредита для вуза. Кроме того, руководители высших учебных заведений понимают, что успех их работы зависит от оперативности сбора платежей.

Несмотря на то, что законы очень благоприятны для неплательщиков, все еще можно проводить твердую, но в то же время деликатную и информативную работу (Marins & Neves, 2013).

**Рисунок 1: Задержки в FIES**

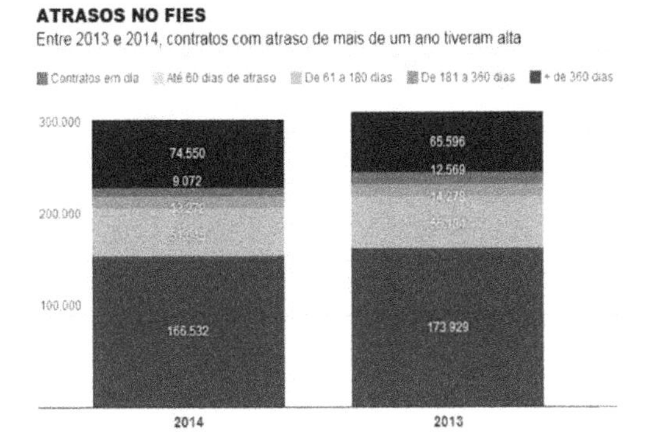


Источник: аудит CGU/MEC

Однако вузы, часто обеспокоенные своим финансовым положением из-за невыплат студентов, идут на риск, когда дело доходит до взимания платы с неплательщиков. Классическим примером этого, как сообщают студенты, которые *уже* пострадали от этой недобросовестной практики, является сбор средств, взимаемый вузами при вручении диплома, поскольку по закону студент, даже в случае дефолта, имеет право получить свой диплом, даже если он не хочет или, по крайней мере, не заключил соглашение об оплате с факультетом.

Однако, похоже, есть учебные заведения, которые, пытаясь взыскать задолженность, не выдают диплом об окончании обучения студентам, имеющим долг перед факультетом.

Таким образом, учебные заведения подвергаются операционному риску, вытекающему из принципов управления, в случае, если просвещенный студент потребует соблюдения своих прав в суде, что нанесет удар по этической концепции работы колледжа и тем самым негативно скажется на его имидже в глазах общественности. (Rodrigues, 2011).

В этом смысле Мачадо (Machado, 2009, p. 28) утверждает, что: "Даже если неплательщик говорит, что собирается добиваться своих прав, организация остается твердой". Если студент добивается судебного запрета или обращается в ПРОКОН, то организация принимает решение о поставке, но при этом существует риск, поскольку это управленческое решение, которое затрагивает не только имидж учебного заведения на рынке, но и проблемы с местными судебными органами и возможность негативного освещения в СМИ.

Бесспорно, каждая компания или организация должна ценить и стремиться удержать своих клиентов или пользователей, ведь именно они являются причиной существования компании. Однако с неплательщиками приходится работать, что всегда является очень деликатной частью отношений.

Взыскание должно осуществляться с большой осторожностью и деликатностью в случаях, когда задержки происходят очень редко, и более решительно в отношении тех, кто выработал привычку опаздывать, не забывая о том, что клиенты могут просто перестать вести дела с компанией из-за такого отношения к ним.

Поэтому очень важно проанализировать историю этих клиентов и попытаться понять, что побудило их опоздать.

Частное учебное заведение в основном живет за счет платы за обучение, которую оно вносит за предоставляемые образовательные услуги. Если часть этих доходов не поступает и если учебное заведение не прогнозирует этот процент неплатежей, добавляя его к сумме доходов, оно может столкнуться с трудностями в выполнении своих обязательств перед клиентами. Именно поэтому финансовые менеджеры учреждения должны постоянно обращать внимание на неплатежи.

В этом смысле Сильва (2007, с. 97) предупреждает, что клиенты с деловым потенциалом часто закрывают свои счета в конкретной компании из-за враждебности, вызванной процессом взыскания.

Это очень важный момент, к которому следует относиться с большой осторожностью и серьезностью, учитывая, что привлекать и удерживать клиентов становится все сложнее и сложнее. Отдел взыскания должен выполнять свою работу, не ставя под угрозу коммерческие отношения между компанией-кредитором и клиентом-должником. Все это делает очевидным, что для эффективного управления, дающего конкретные результаты в борьбе с дефолтами, необходимы масштабные инвестиции в персонал, гораздо большие, чем просто инвестиции в машины, системы и инфраструктуру.

Человеческий фактор в академической организации очень важен для хороших отношений с клиентом, в данном случае со студентом или его опекуном. Понимание фактов, приведших к невыполнению обязательств, может помочь найти решение, приемлемое для обеих сторон.

## 2.2 Поступление в университеты и федеральные государственные программы

Как заявляет ЮНЕСКО, высшее образование "сталкивается с новыми возможностями, связанными с технологиями, которые улучшили способы производства, управления, распространения, доступа и контроля знаний".

Кроме того, высшее образование повсеместно сталкивается с серьезными проблемами и трудностями, связанными, в частности, с финансированием, равными условиями поступления, развитием и поддержанием качества преподавания, исследований и услуг по распространению знаний. "Без высшего образования и адекватных исследовательских институтов, формирующих критическую массу квалифицированных и образованных людей, ни одна страна не сможет обеспечить развитие или снизить уровень, отделяющий бедные и развивающиеся страны от развитых" (Da Silva *et al.* 2016).

С момента принятия Закона о руководящих принципах и основах национального образования (Закон 9394/1996) - LDB - в большинстве городов Бразилии наблюдается рост частного высшего образования.

Мы видим, что это расширение произошло в количестве аккредитованных высших учебных заведений, а также в разрешении новых курсов и увеличении количества мест, разрешенных Министерством образования. Этот рост стимулирует конкуренцию между вузами, когда все меньшее число кандидатов претендует на вакантные места, а также поиск студентов, уже зачисленных в другие университеты.

Это становится формой конкуренции, в некоторой степени нечестной, и приводит к снижению доходов. Нехватка студентов для заполнения вакансий, дефолты, отсев, отмена курсов и переводы в университеты - все это приводит к тому, что мощности этих учебных заведений простаивают.

Также увеличилось число учащихся средней школы, которые являются потенциальными кандидатами на поступление в университет. Есть также люди, которые уже закончили среднюю школу или ее эквивалент и стремятся поступить в университет. Кроме того, рынок труда постоянно требует квалифицированных специалистов.

Для того чтобы вузы могли воспользоваться этими программами, необходимо принять определенные меры. В связи с высокой конкуренцией на рынке образования и низкой нормой прибыли в этом секторе, учебные заведения должны не только проанализировать оптимальный налоговый режим при поддержке специализированной консалтинговой компании, но и использовать все ресурсы и программы, доступные в настоящее время от федерального правительства в качестве источника финансирования.

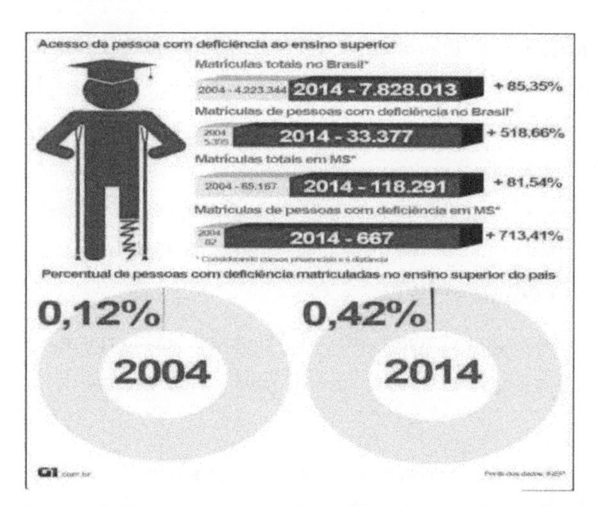


**Рисунок 2: Доступ к высшему образованию для людей с ограниченными возможностями**

Источник: INEP -http://portal.inep.gov.br/superiorcensosuperior-sinopse.

Согласно данным переписи высшего образования, проведенной Национальным институтом педагогических исследований и разработок имени Анисио Тейшейры (2015), за десятилетний период с 2004 по 2014 год доступ людей с ограниченными возможностями к высшему образованию расширился, но если сравнить эти цифры с общим количеством поступающих в бразильские колледжи и университеты, то это участие по-прежнему остается минимальным.

Например, в 2004 году число людей с инвалидностью, поступивших на очные и заочные курсы высшего образования в Бразилии, составляло 5 395 человек, что составляло всего 0,12% от общего числа учащихся в стране, в то время как в 2014 году этот показатель составил 4 223 344 человека.По данным Inep, в 2014 году благодаря ряду факторов, таких как создание новых учебных заведений и курсов, а также стимулирование доступа с помощью таких инициатив, как программа "Университет для всех" (PROUNI), Национальный экзамен в средней школе (Enem) и Программа финансирования студентов (Fies), число студентов высших учебных заведений в целом значительно возросло, а также увеличилось число людей с ограниченными возможностями, поступающих в эти учебные заведения.

**Рисунок 3: Люди с ограниченными возможностями в Бразилии**

Источник: Перепись населения 2010 года - МГЭ.

Inep (2015) отмечает, что в 2014 году в высших учебных заведениях страны обучалось 7 828 013 студентов, что на 85,35 % больше, чем в 2004 году. Что касается студентов с особыми образовательными потребностями, то рост составил

518,66 процента, достигнув примерно 33 377 человек, зачисленных в сеть высшего образования.

Несмотря на то, что количество людей с ограниченными возможностями увеличилось в три с половиной раза по отношению к общему числу поступающих в высшие учебные заведения страны, в 2014 году их доля не достигла и 1% от общего числа, составив всего 0,42%.

Чтобы увеличить оборот школы, привлечь больше учеников и снизить количество неплатежей, школе важно использовать ресурсы и программы стимулирования, предлагаемые правительством.

Факторами, серьезно повлиявшими на вузы Бразилии, стало сокращение средств, выделяемых федеральным правительством на программу финансирования студентов (FIES).

FIES - Фонд финансирования студентов - зарегистрировал 47-процентный рост числа договоров, подписанных в 2013 г. по сравнению с 2012 г. В связи с ограничением финансирования некоторых курсов некоторые утвержденные колледжи потеряли большое количество мест. Теперь, в условиях нехватки средств и новых студентов, некоторым колледжам даже грозит исчезновение.

В исследовании INEP (2013) также приводятся обновленные данные по контрактам FIES, заключенным в период с 2010 по июнь 2015 года, общее число которых составило 2,1 миллиона. Стоит помнить, что для того, чтобы соответствовать FIES, IES подготовились к стандартам и уровням, необходимым для того, чтобы наименее обеспеченные молодые бразильцы могли получить высшее образование и внести свой вклад в развитие страны.

Однако после изменений, внесенных MEC в 2014 году, повышение процентной ставки с 3,4 до 6,5 % в год, предоставление 5 % скидки на курсы, предусмотренные программой, замена критерия валового дохода семьи критерием дохода на душу населения, введение прогрессивной доли обязательств по доходу в зависимости от диапазона заработной платы, представляли собой ограничительные меры, которые ограничили возможности программы по расширению и устойчивости в текущем макроэкономическом сценарии.

Последствия очевидны: в 2015 году количество новых контрактов сократилось более чем на 50%, что отдаляет достижение целей Национальной программы образования к 2024 году.

По мнению Барроса и Аморима (2014, стр. 35), когда студенты не набирают минимального количества баллов в Enem для получения FIES или PROUNI, учебные заведения из кожи вон лезут, чтобы привлечь студентов, предоставляя им лучшие шансы на получение студенческого финансирования, что становится привлекательным для студентов, испытывающих финансовые трудности. Таким образом, учебные заведения выигрывают с двух сторон: со студентами, которые все еще ищут их через FIES, и с теми, кто ищет частное финансирование, предлагаемое через партнерство со студенческими группами. Это творчество, преодолевающее финансовый кризис. Цель этих программ федерального правительства - облегчить студентам поступление в высшие учебные заведения. PROUNI предназначена только для тех, чей семейный доход не превышает двух с половиной минимальных зарплат на человека и кто учился в государственных школах. Среди них есть места для студентов с особыми образовательными потребностями.

По мнению Альвареса (2010), FIES отличается тем, что это не стипендия, где студент обязан оплатить курс обучения в рассрочку на срок до 15 лет. Университетам предоставляется ограниченное количество мест и контрактов на семестр, и чем выше рейтинг MEC учебного заведения, тем большее количество контрактов предоставляется для приема студентов. Это программа федерального правительства, созданная в 1999 году, которая предоставляет деньги в долг студентам частных высших учебных заведений. В 2010 году, в конце правления Лулы, программа была изменена, чтобы охватить большее количество людей, а процентные ставки были ниже инфляции. Процентные ставки снизились с 6,5 процента до 3,4 процента в год. Исследования показали, что доступ к кредитам вызывает перекосы в высшем образовании, однако расходы на FIES выросли с 1,1 млрд реалов в 2010 году до 13,7 млрд реалов в 2014 году, что побудило Министерство образования ограничить доступ к программе в конце прошлого года.

Министерство образования считает PROUNI крупнейшей стипендиальной программой в истории бразильского образования, поскольку в ходе первого отбора, который состоялся в 2005 году, было предложено сто двенадцать тысяч стипендий в 1 142 учебных заведениях, охватывающих всю территорию страны (Alves, 2010).

По этому поводу Феррейра (Ferreira, 2012, p. 464) утверждает, что "[...] правительство сделало выбор в пользу платежеспособности частных вузов через программу "Университет для всех", которая освобождает высшие учебные заведения от федеральных налогов, а также увеличивает количество студентов в этих учреждениях".

Однако для доступа к PROUNI существуют определенные требования. В отчете TCU об операционном аудите PROUNI и FIES (Brasil, 2009, p. 28) кратко описано, кто соответствует критериям принадлежности к целевой группе программы.

В частности, на стипендии могут претендовать только те, кто соответствует следующим требованиям: [...] сдают национальный экзамен в средней школе (ENEM), получают минимальный проходной балл и выполняют одно из следующих условий: a) получить среднее образование в государственной школе или получить среднее образование в государственной школе на полную стипендию, или получить среднее образование частично в государственной школе и частично в частном учебном заведении в качестве полного стипендиата соответствующего учебного заведения; b) быть кандидатом с ограниченными возможностями; c) быть учителем в государственной сети базового образования, работающим на полную ставку, в составе постоянного персонала учебного заведения. В последнем случае учитель должен подать заявление на места на курсах по получению степени, нормализации высшего образования или педагогике, при этом критерий дохода не рассматривается в качестве ограничивающего фактора.

В дополнение к этим правилам, получатель стипендии не может иметь диплом об образовании данного уровня, быть зачисленным в государственное высшее учебное заведение одновременно с получением стипендии или финансироваться FIES на курсе или в учебном заведении, отличном от того, для которого была предоставлена стипендия (Brasil, 2009).

С момента вступления в программу и до получения стипендии происходит следующий процесс, как объясняет Мари (2011): кандидат должен сдать Национальный экзамен в средней школе (Enem), так как они классифицируются в зависимости от набранных баллов, и необходимо достичь минимального результата, установленного MEC; заявки подаются через Интернет, через онлайн-систему SisProuni, в которой студент ищет участвующие учебные заведения и курсы и указывает, на какие из них он хочет подать заявку, а также заявляет, что он соответствует условиям, необходимым для участия в конкурсе на получение стипендии; По окончании периода регистрации студенты классифицируются в соответствии с их вариантами и баллами, полученными на экзамене Enem. После этой классификации студент, прошедший предварительный отбор, должен представить в учебное заведение ряд документов, подтверждающих социально-экономические данные, указанные им в регистрационной форме.

Что касается участия вузов, то в принципе они должны получить положительную оценку своих курсов, а в правилах говорится, что те, кто присоединяется к программе, получают взамен налоговые льготы, освобождаясь от уплаты следующих налогов: корпоративного подоходного налога (IRPJ), социального взноса на чистую прибыль (CSLL), взноса на финансирование социального обеспечения (COFINS) и программы социальной интеграции (PIS) (Alves, 2010).

Однако высшие учебные заведения, присоединившиеся к PROUNI, будут обязаны предоставлять стипендии, обращая внимание на аспекты, связанные с семейным доходом и доходом на душу населения.

Согласно Alves (2010), критерий дохода определяет тип стипендии, на которую может претендовать кандидат: полная стипендия - для студентов с доходом семьи на душу населения до 1,5 (полутора) минимальных зарплат; частичная стипендия - если доход на душу населения в месяц больше полутора минимальных зарплат и меньше или равен трем минимальным зарплатам, то кандидат может претендовать на стипендию в размере 25% или 50%.

За последние 13 лет частное высшее образование в Пара выросло на 221 % по количеству студентов. В государственном секторе рост составил 139 %. В период с 2012 по 2013 год на 4,9% увеличилось общее количество студентов, обучающихся на очных курсах (125 000 в 2013 году по сравнению с 120 000 в предыдущем году), включая частные вузы (55 800 по сравнению с 56 000, или небольшое снижение на 0,3%) и государственные вузы (69 600 студентов в 2013 году по сравнению с 63 500 в предыдущем году, или рост на 9,6%).

В 2013 году в частных вузах обучалось 55 800 студентов (45%), а в государственных - 69 600 (55%), что в общей сложности составило чуть более 125 000 человек.

Из шести мезорегионов штата только в одном в 2013 году было зарегистрировано более 85 000 человек на очных курсах: в столичном регионе Белен. За ним следуют мезорегион Байшу-Амазонас с почти 13 000 слушателей и юго-восточный и северо-восточный районы штата Пара с более чем 10 000 слушателей. В двух других мезорегионах было зарегистрировано менее 5 000 учащихся (INEP, 2013).

Число абитуриентов (тех, кто начинает обучение на 1-м курсе) на очных курсах в Пара немного снизилось, на 3,5 %, в период с 2012 по 2013 год (40 000 абитуриентов до 38 000 в 2013 году). В частном секторе снижение составило 2,4 % (23 000 студентов в 2012 году до 22 000 в 2013 году). В государственном секторе снижение составило 4,9 % (17 000 студентов в 2012 году до 16 000 в 2013 году).

По данным Chaves and Amaral (2015), с 2000 по 2013 год количество высших учебных заведений (ВУЗов) в Пара выросло на 278 % и составило 34 ВУЗа - 28 частных и 6 государственных в 2013 году, по сравнению с 9 ВУЗами - 6 частными и 3 государственными в 2000 году.

Однако в период с 2012 по 2013 год, несмотря на то, что общее количество учебных заведений оставалось неизменным, произошло увеличение на 1 учебное заведение в частной сети и сокращение на 1 учебное заведение в государственной сети. Процент ежегодного отсева с очных курсов в штате достиг 26,5% в частной сети и 18% в государственной сети, причем в мезорегионах Нижний Амазонас (42,8%) и Северо-Восточный Пара (26,7%) этот показатель выше, чем в штате (26,5%).

В Пара количество контрактов, подписанных с Фондом финансирования студентов (Fies) в период с января 2010 года по июнь 2015 года, составило около 31 000. На столичный регион Белен пришлось 85,5 % (26 600) контрактов за тот же период. В трех мезорегионах - Байшас Амазонас, Судесте Параенсе и Судосте Параенсе - было заключено менее трех тысяч контрактов. В двух оставшихся регионах за этот период не было заключено ни одного контракта.

## 2. 3 ВЫСОКИЕ НАЛОГИ И ЗАТРАТЫ НА УПРАВЛЕНИЕ ВЫСШИМ ОБРАЗОВАНИЕМ

### 2.3.1 Затраты на управление высшим образованием

Текущая ситуация в бразильском высшем образовании вынуждает учебные заведения адаптироваться к конкурентному рынку. Стратегическое управление затратами и налогами может предоставить менеджерам необходимую информацию для обновления их бизнес-политики и предоставить информацию, которая поможет определить конкурентные показатели, что определит непрерывность бизнеса в долгосрочной перспективе.

Благодаря такому управлению можно будет составлять отчеты с информацией, удобной для бизнеса, с показателями, которые позволят сравнить расходы между аналогичными учреждениями и подчеркнуть необходимость контроля действий, которые не приносят пользы учреждениям.

Признание затрат на высшее образование необходимо для устранения нерационального использования ресурсов. В связи с этим можно с уверенностью сказать, что управление затратами является важнейшим инструментом для надлежащего использования ресурсов.

Определение затрат в вузе с помощью учета затрат является сложной задачей, поскольку затраты необходимо распределять. Это связано с тем, что учреждения часто имеют общие затраты на оказание услуг различным подразделениям.

Учет затрат определяется Magalhaes (2010) как отрасль финансового учета и заключается в сборе, организации, анализе и интерпретации затрат на продукцию или услуги организации с целью их контроля и помощи менеджерам в принятии решений и планировании своей деятельности.

Определение того, из чего складывается стоимость обучения и как ее определить, имеет принципиальное значение как для инвесторов, поскольку дает им возможность понять, приносят ли затрачиваемые ими ресурсы какую-либо выгоду (отдачу), так и для самого вуза, поскольку помогает обеспечить эффективность и результативность использования его ресурсов.

Знание расходов вузов Бразилии необходимо для того, чтобы исключить нерациональное использование ресурсов. Исходя из этого, можно сказать, что управление затратами является основным инструментом для правильного использования ресурсов. Управление затратами означает систематический мониторинг количества ресурсов, вложенных в каждую область, и проверку эффективности их использования.

В частных учреждениях для соблюдения правил, установленных Налоговой службой Бразилии в отношении налоговой базы, используется метод абсорбционной калькуляции, который, согласно Soares (2014), рассматривает все производственные затраты как стоимость продукции, независимо от того, какие затраты подлежат распределению.

Частные учебные заведения получают доход от платы за обучение. Поэтому студенту уделяется особое внимание как пользователю/клиенту предоставляемых услуг. Из-за конкуренции за студентов, преподавателей и положительный имидж в обществе администрация должна быть все более профессиональной и целеустремленной в достижении поставленных целей.

Любая форма калькуляции затрат требует наличия адекватной базы данных по расходам и глубокого знания каждого вида деятельности образовательных учреждений, поскольку они имеют свои уникальные особенности.

Каждый вид деятельности, осуществляемый в вузах, генерирует затраты в соответствии с существованием компонента, генерирующего расходы, поэтому мы можем разделить их на четыре категории затрат, с генерирующими видами деятельности, отнесенными к каждой из них: Расходы на преподавание; Расходы на исследования и расширение; Административные расходы; Расходы на содержание.

Некоторые учебные заведения несут особые расходы, например, на расширение материально-технической базы, содержание университетских больниц (если таковые имеются) и т.д.

Однако расходы на преподавание связаны с предыдущим объяснением, и предлагается, чтобы расходы на преподавание включали расходы студентов на занятия в аудитории, а также расходы на оборудование и учебные материалы (расходы на покупку телевизоров и видео/DVD, диапроекторов, слайд-проекторов и т. д.), другими словами, когда они связаны с программами бакалавриата и магистратуры (Silveira & Wakim, 2010).

Стоит помнить, что зарплата учителя включает в себя льготы (если таковые имеются), такие как медицинская и стоматологическая страховка, суточные, социальные выплаты, скидки на обучение детей-иждивенцев и т. д.

Он также покрывает сокращение доходов из-за грантов на преподавание, которые выдаются студентам в рамках платы за обучение, либо в связи с мониторинговой деятельностью, либо в связи с финансовыми потребностями, поэтому эти расходы также относятся к расходам на преподавание.

Закон 9.394 от 20 декабря 1996 года устанавливает руководящие принципы и основы образования. Статья 70 этого закона гласит, что:

> "Расходы на поддержание и развитие образования будут рассматриваться как расходы, понесенные для достижения основных целей образовательных учреждений на всех уровнях, включая расходы на:
>
> I - оплата труда и развитие преподавательского состава и других специалистов в области образования;
>
> II - приобретение, обслуживание, строительство и содержание помещений и оборудования, необходимых для преподавания;
>
> III - использование и обслуживание товаров и услуг, связанных с образованием;

IV - статистические обзоры, исследования и изыскания, направленные в первую очередь на повышение качества и расширение образования;

V - осуществление средней деятельности, необходимой для функционирования систем образования;

VI - стипендии для учащихся государственных и общественных школ;

VII - амортизация и калькуляция стоимости кредитных операций, предназначенных для выполнения положений настоящей статьи;

VIII - закупка учебных материалов и обслуживание школьных транспортных программ".

Следует подчеркнуть, что большая часть расходов на высшее образование приходится на человеческие ресурсы. Но это не единственные факторы, формирующие стоимость академической деятельности, поскольку помимо количества преподавателей, расходы также зависят от квалификации преподавательского состава, так как те, кто имеет докторскую степень, получают более высокую зарплату.

Затраты на исследования и расширение относятся к исследовательской и расширенной деятельности, то есть к затратам, которые возникают в процессе обучения студентов, но не оцениваются как затраты на преподавание, и складываются из заработной платы (в дополнение к пособиям) преподавателей, которые проводят исследования и расширение, материалов для проведения этих мероприятий и грантов на исследования и расширение, выплачиваемых студентам (Siviero, 2009).

Оборудование и материалы, используемые для выполнения этих задач, - это средства, потраченные на приобретение различных материалов, таких как компьютеры, принтеры, программное обеспечение, микроскопы, канцелярские принадлежности, материалы, используемые в социальных проектах, и т. д. Гранты на исследования и расширение - это скидки, предоставляемые студентам на оплату обучения для проведения исследований и расширения деятельности, например, стимулирования исследовательских проектов.

По мнению Каррейры и Пинто (2008), расходы на содержание считаются расходами на обслуживание, если они связаны с основными расходами, такими как содержание библиотечного оборудования, лабораторий, энергии, воды и канализации, телефона, интернета, уборки и т. д. Для обслуживания оборудования, библиотеки и лабораторий необходим технический персонал, а также расходы на уборку помещений.

Согласно Zonato, Cordeiro и Scarpin (2012), "административные расходы - это те, которые влияют на деятельность по планированию, координации, организации и контролю организации. Как таковые, они представляют собой расходы, которые не могут быть точно идентифицированы по отношению к полученной выручке". Обычно они рассматриваются как расходы за период и не распределяются по видам выручки, поэтому классифицируются как косвенные расходы/затраты.

В соответствии с Законом о национальных руководящих принципах и основах образования (LDB) № 9.394 от 20 декабря 1996 года, статья 71, расходы на содержание и развитие образования не считаются расходами, понесенными в связи с:

> I - исследования, не связанные с образовательными учреждениями или проводимые вне образовательных систем, которые не направлены в первую очередь на повышение их качества или расширение;
>
> II - субсидирование государственных или частных благотворительных, спортивных или культурных учреждений;
>
> III - подготовка специального персонала для государственной администрации, как военной, так и гражданской, включая дипломатический персонал;
>
> IV - программы дополнительного питания, медицинской, стоматологической, фармацевтической и психологической помощи, а также другие виды социальной помощи;
>
> V - инфраструктурные работы, даже если они прямо или косвенно направлены на благо школьной сети;
>
> VI - педагогические работники и другие работники образования, когда они не выполняют свои обязанности или занимаются деятельностью, не связанной с обеспечением и развитием образования.

Эти расходы связаны с операционной деятельностью учебного заведения и, следовательно, включают в себя расходы на высшее руководство, координаторов курсов и сектор поддержки студентов. Они включают в себя расходы на персонал, а также все остальные уже упомянутые расходы, такие как расходные материалы и финансовые расходы (процентные платежи по кредитам, расходы на продажу, например, на рекламу, и налоговые расходы).

Из этого можно сделать вывод, что необходимо знать затраты вузов, чтобы правильно формировать продажную цену взимаемой платы за обучение, так как неправильное управление затратами приводит к повышению платы за обучение, а также важно правильно управлять расходами, что делает образовательный "продукт" менее конкурентоспособным на рынке.

По мнению Луререйро (2011), соображения о стоимости бразильского высшего образования должны привести к немедленному поиску более эффективного управления и институциональных приспособлений для предоставления предметов, которые позволят расширить спектр услуг для населения и повысить качество преподавания, рационально сбалансировав при этом расходы, которые взимаются в настоящее время.

2.3.2 Налоги в частных высших учебных заведениях

Основным препятствием для роста и конкуренции компаний и даже для их выживания является высокое налоговое бремя, действующее в Бразилии, учитывая, что налоговое бремя может быть дифференцированным при формировании цены продажи, что делает компании менее конкурентоспособными из-за высоких операционных расходов.

Определение налога содержится в статье 3 Национального налогового кодекса, которая гласит: "Налог - это любой обязательный денежный платеж в валюте или выраженный в ней, который не представляет собой наказание за незаконное действие, установленный законом и взимаемый посредством полностью обязательной административной деятельности".

Анализируя соответствующее понятие налога, мы приходим к выводу, что он является основной обязанностью, состоит из денежного платежа (в денежной форме), не представляет собой наложение штрафа, требуемого от тех, кто совершил описанный законом факт в соответствии с конкретной компетенцией, предоставленной Конституцией, и с целью получения дохода для общественных нужд (Sabbag, 2009).

Правительство, со своей стороны, не в состоянии полностью удовлетворить спрос на образование в стране, поэтому государственные школы стали выходом из положения, чтобы заполнить пустоту, оставленную государством, но это не мешает им быть наказанными высоким налоговым бременем, которое возлагается на этот сектор.

По мнению Сикейры (2011), налоговое законодательство слишком обширно и сложно, чтобы его можно было полностью понять. В то же время оно динамично, то есть постоянно меняется. По этой причине хороший налоговый менеджер должен всегда быть в курсе этих изменений и знать, как управлять их последствиями для бизнеса.

Для того чтобы лучше понять современную национальную налоговую систему, необходимо рассмотреть, как она работает: Федеральная конституция создала национальную налоговую систему, которая представляет собой правовые нормы, регулирующие осуществление налоговых полномочий различными субъектами налогообложения. Таким образом, налоги устанавливаются на муниципальном, государственном и федеральном уровнях.

Основные налоги, которыми облагаются частные учебные заведения, взимаются с

- выручка (оборот или валовые продажи);
- начисление заработной платы (и наем сотрудников);
- Прибыль;

- Pro-Labore (вознаграждение партнера);

- владение или передача движимого или недвижимого имущества. Примеры: IPVA, IPTU и ITBI.

Если исходить из презумпции доходности, то образовательные учреждения облагаются следующими налогами:

**PIS** - Программа социальной интеграции - федеральный налог. Взимается с оборота компаний, облагаемых налогом на реальную и предполагаемую прибыль. Ставки варьируются от 1,65% до 0,65% в зависимости от соответствующих налоговых режимов.

**COFINS** - Взнос на финансирование социального страхования - федеральный налог. Взимается с оборота компаний, облагаемых налогом на реальную и предполагаемую прибыль. Ставки варьируются от 7,60 до 3,00% в зависимости от соответствующих налоговых режимов.

**IRPJ** - Корпоративный подоходный налог - Федеральный налог. Компании, выбравшие режим реальной прибыли, облагаются налогом только в том случае, если они получают прибыль за определенный период. Для компаний, выбирающих "Предполагаемую прибыль", налог взимается ежеквартально. Ставка составляет 15 %, но в зависимости от прибыли за период может взиматься дополнительно 10 %.

**CSLL** - Социальный взнос на чистую прибыль - федеральный налог. Компании, выбравшие вариант "Реальная прибыль", будут облагаться налогом только в том случае, если компания получает прибыль в определенный период. Компании, выбирающие "Предполагаемую прибыль", облагаются налогом ежеквартально. Ставка налога составляет 9 %.

**ISS** - Service Tax - муниципальный налог. Взимается ежемесячно с оказанных услуг (выставления счетов). Ставки варьируются в соответствии с законодательством каждого муниципалитета.

**Взнос на социальное обеспечение - INSS Взнос работодателя** - взимается с фонда заработной платы, при найме внештатных сотрудников или кооперативов, с компаний, облагаемых налогом на основе реальной прибыли, предполагаемой прибыли и некоммерческих организаций, которые не являются благотворительными. Ставка составляет 20%, за исключением кооперативов, ставка которых составляет 15%.

Следует отметить, что размер налогообложения и налоговое бремя напрямую зависят от налогового режима, принятого образовательным учреждением. Поэтому при определении налогового режима, который будет применять учебное заведение, необходим тщательный анализ, поскольку этот выбор делается в начале года и является окончательным на весь календарный год.

Правильный налоговый выбор - это минимально возможное налоговое бремя, причем законным путем.

## 2.4 ПРОФИЛЬ МЕНЕДЖЕРОВ В ЧАСТНЫХ ВЫСШИХ УЧЕБНЫХ ЗАВЕДЕНИЯХ.

Понимание менеджерами образования трансформаций, произошедших в модели управления, и их новых обязанностей в организации все еще находится в зачаточном состоянии, когда мы смотрим на текущее поведение вузов на рынке. Нередко можно встретить специалистов на руководящих должностях, которые не совсем понимают объем своих стратегических функций. Это связано с тем, что до сих пор широко распространено мнение о переоценке внутренних функций организации, без правильного понимания влияния внешних переменных и их последствий для принятия решений. Это может неоправданно характеризовать образовательное учреждение как самодостаточную среду, демонстрирующую явно механистические тенденции, которые противоречат новым развивающимся парадигмам.

С момента принятия Закона о руководящих принципах и основах национального образования (Закон 9394/1996) - LDB - в большинстве бразильских городов наблюдается расширение частного высшего образования. Можно заметить, что этот рост произошел в количестве аккредитованных высших учебных заведений, а также в разрешении новых курсов и увеличении количества мест, разрешенных Министерством образования (MEC). Этот рост стимулировал конкуренцию между вузами, когда все меньшее число абитуриентов претендует на вакантные места, а также поиск студентов, уже зачисленных в другие вузы. Такая конкуренция, в определенной степени несправедливая, приводит к снижению доходов частных вузов. Нехватка студентов для заполнения вакансий, дефолты, отчисления, отмена курсов и переводы в другие вузы - все это приводит к тому, что мощности этих учебных заведений простаивают (De Andrade, 2006).

Также увеличилось число учащихся средней школы, которые являются потенциальными кандидатами на поступление в университет. Есть также люди, которые уже закончили среднюю школу или ее эквивалент и стремятся поступить в университет. Кроме того, рынок труда постоянно требует квалифицированных специалистов.

Процесс трансформации, происходящий с 1990-х годов в секторе высшего образования, значительно изменил рабочий процесс в учебных заведениях, а вместе с ним и обязанности координаторов курсов. В настоящее время от менеджеров требуется знание существующих требований в этой области и создание решений, отвечающих потребностям всего курса и вуза. Требуются новые методы управления и знания, что приводит к появлению новых академических процедур (Fernandes, 2012).

С 1996 года, с появлением нового LDB, курс приобрел форму академическо-административного подразделения в вузе, а его координатор стал рассматриваться как менеджер этого подразделения. Произошел переход от организации факультетов к новой организации курсов, управление которыми основано на коллегиальных органах, объединяющих преподавателей по специализации или по циклам (базовый и профессиональный). Эта новая организация требует от координатора курсов глобального видения предлагаемой профессиональной подготовки. Новая роль координатора курсов, возложенная на преподавателя, независимо от его квалификации, требует от него дополнительных знаний в области деловых отношений, которыми он не всегда обладает. Возникает новая административная концепция.

Менеджер обязан следовать миссии, убеждениям и ценностям учебного заведения, принимая на себя роль руководителя, компетентного в выполнении сложных задач, таких как управление и выполнение решений Министерства образования, педагогический проект курса, знание и использование новых технологий, управление командами преподавателей, оценка процесса преподавания и обучения и адаптация курса к новым потребностям рынка труда без потери качества преподавания (Delfino *et al.* (2008)).

Управление курсами должно приносить образовательные, стратегические и финансовые результаты, причем в случае частных вузов - привлечение новых студентов, повышение успеваемости и удовлетворенности студентов, снижение отсева, неудач и жалоб на курс. Речь идет не только о технической компетентности менеджера, сосредоточенной на операционных ноу-хау, но и о знании, умении быть и умении жить вместе, т.е. знание данных в изоляции недостаточно, оно должно сочетаться с инициативой, мотивацией к работе, межличностными отношениями, сочетая социально-аффективные и когнитивные знания (Delfino et *al.* 2008).

Со временем эта концепция была переформулирована, и сегодня координатор курса выступает в роли координатора-менеджера, который если и не принимает решения, то имеет возможность влиять на них. Его роль больше, чем "простой посредник между студентами, преподавателями и высшими коллегами", это роль менеджера политико-педагогического проекта курса, с миссией и целями вуза в качестве ориентира. Он также должен добавить новые навыки, такие как "руководство командой", чтобы сформировать успешные команды, и "восприятие тенденций рынка", чтобы повлиять на маркетинговые стратегии для рекламы курса.

Вузы претерпели столь глубокие преобразования, что требуют внедрения более партисипативного управления, стимулирующего взаимодействие между различными уровнями и коллегиальными органами через гибкие каналы связи, которые позволяют быстро распространять информацию и облегчают принятие решений. В дополнение к вышеупомянутым аспектам необходимо поощрять лидерские качества координатора, чтобы способствовать развитию совместного управления, в котором все участвуют, помогают, обсуждают и влияют на решения, а также получают информацию о них (Mastella & Reis, 2008).

Профиль образовательного менеджера находится на тактическом уровне, с горизонтальными и вертикальными взаимодействиями с другими коллегиальными органами вуза. Таким образом, требуются новые навыки, и во многих случаях обучение полезно для правильного направления потенциала менеджеров вузовских курсов. Поэтому менеджер должен разрабатывать более динамичные и эффективные стратегии, адаптируя их к модернизации, предлагаемой технологическим прогрессом, экономическим развитием и современными изменениями. Для менеджеров принципиально важно быть предприимчивыми и продвигать знания, чтобы трансформировать социальную, экономическую, политическую, культурную и образовательную реальность академических пространств (Bonfiglio, Beber & Silva, 2014).

Однако в настоящее время инструменты оценки МЕС сосредоточены на академической подготовке координатора - степени - и продолжительности его участия в управленческой деятельности, а также на его преданности своему делу. Инструменты не стремятся оценить эти новые навыки, упомянутые здесь как важные для улучшения управления процессом преподавания и обучения.

# ГЛАВА 3: ОПРЕДЕЛЕНИЕ КОНТЕКСТА ИССЛЕДОВАНИЯ

## 3.1 МЕТОДОЛОГИЧЕСКИЕ ПУТИ НАШЕГО ИССЛЕДОВАНИЯ

### 3.1.1 Место проведения исследований

История Мараба, одного из самых густонаселенных и богатых муниципалитетов штата Пара в Бразилии, традиционно охватывает период от прибытия наркоторговцев из Сертао и политических лидеров с севера провинции Гойас до наших дней. Хотя территория штата с доисторических времен была постоянно заселена кочевыми индейцами, до начала 1890-х годов регион оставался практически нетронутым, редко контактируя с европейцами и бандейрантес, которые исследовали регион с первого века.

В 1894 году полковник Карлос Лейтао в сопровождении семьи и помощников переехал на юго-восток Пара, основав свой первый лагерь в городке, расположенном на землях, граничащих со слиянием рек Токантинс и Итакаюнас, который позже был назван Понтал-ду-Итакаюна. С ростом благосостояния, вызванным торговлей каучо, а затем бразильскими орехами, регион привлек множество иммигрантов, и с 1903 года деревня Понтал начала бороться за свою эмансипацию. В 1913 году, в основном благодаря влиянию полковника Антонио Майи, Мараба была эмансипирована.

В период с 1913 по 2000-е годы Мараба развивалась головокружительно: от добывающих циклов до периодов сильного промышленного развития. XX и XXI века, история которых отмечена множеством конфликтов, были особенно насыщенными событиями в этом муниципалитете, где происходили взлеты и падения олигархий, эмансипационные революции, коммунистические партизаны, массовые убийства коренного населения и рабочих, конфликты по поводу собственности на землю, открытие крупных месторождений полезных ископаемых, крупные государственные проекты, политические скандалы и демографические взрывы.

С 1970-х годов антропологические исследования в бассейне Итакаюнас и в Серра-дус-Карахас позволили обнаружить очень древние поселения на территории Мараба, что дало нам более полное представление о человеческой оккупации в этом регионе. Эти исследования позволили установить, что регион был занят докабральскими обществами, то есть до европейской колонизации. Углубленные исследования, проведенные в пещерах и полостях Серра-дус-Карахас, обнаружили следы очень древних и сложных кочевых обществ охотников-собирателей, причем записи о человеческой оккупации датируются примерно 9 000 лет до нашей эры.

В 2012 году муниципалитет пережил крупнейший финансовый кризис. В условиях завышенной заработной платы и масштабных строительных работ, которые необходимо было завершить, доходов муниципалитета не хватало для покрытия всех расходов на персонал и поддержания работы основных служб, таких как больницы, уборка мусора и школы. В результате муниципальные служащие устроили забастовку из-за невыплаты зарплаты. В ноябре 2012 года задолженность достигла 110 миллионов реалов.

Еще одним фактором, усугубившим фискальный кризис до таких масштабов, стало падение собираемости налогов. Экономический кризис не только практически парализовал работу местного индустриального парка (крупнейшего налогоплательщика), но и привел к тому, что другие создаваемые в муниципалитете предприятия по добыче полезных ископаемых, сельскохозяйственные и торговые предприятия были заброшены.

Муниципалитет Тукуруи расположен в штате Пара, в микрорегионе Тукуруи и мезорегионе Юго-Восточная Пара. Муниципалитет известен тем, что здесь находится крупнейшая гидроэлектростанция в Бразилии и четвертая по величине в мире: ГЭС Тукуруи, построенная и эксплуатируемая с 22 ноября 1984 года компанией Eletronorte.

По оценкам Бразильского института географии и статистики (IBGE), в 2015 году в муниципалитете проживало 107 189 человек, а его площадь составляла 2 086 км$^2$ . Это самый старый из сохранившихся городов на юго-востоке Пара (регион Каражас), основанный как португальская военная колония в 1779 году.

Город Парауапебас - бразильский муниципалитет в штате Пара. Его население, по оценкам Бразильского института географии и статистики (IBGE) в 2015 году, составляло 189 921 человек, что делает его пятым по численности муниципалитетом штата. Его валовой внутренний продукт, который в 2013 году составил 20,2 миллиарда реалов, уступал только ВВП столицы штата, Белена. В том же году валовой внутренний продукт муниципалитета на душу населения составил 114 700 реалов, что является третьим показателем в штате. Он расположен в 719 километрах от столицы, Белена.

3.1.2 - Тип исследования

Исследование носит описательный и объяснительный характер, при котором факты физического мира анализируются, фиксируются и интерпретируются без вмешательства исследователя. Цель описательного исследования - наблюдать, фиксировать и анализировать явления или технические системы, не вдаваясь, однако, в суть их содержания (Barros & Lehfeld, 2007).

По мнению Проданова и Де Фрейтаса (2013), описательное исследование направлено на описание характеристик населения, явления или опыта. В этом типе исследований не может быть вмешательства исследователя, соблюдающего научный нейтралитет, который должен лишь выяснить, как часто встречается то или иное явление или как устроена и функционирует система, метод, процесс или операционная реальность. Этот тип исследования больше всего углубляет познание реальности, поэтому он в значительной степени основан на экспериментальных методах.

Этот тип исследования можно понимать как кейс-стади, в котором после сбора данных проводится анализ взаимосвязей между переменными с целью последующего определения их влияния на компанию, производственную систему или продукт (Perovano, 2014).

По мнению Гила (2007), объяснительные исследования направлены на выявление факторов, которые определяют или способствуют возникновению явлений, то есть этот тип исследований объясняет причины происходящего через предлагаемые результаты. Объяснительные исследования могут быть продолжением описательных исследований, поскольку выявление факторов, определяющих явление, требует его достаточно подробного описания. Исследования этого типа можно классифицировать как экспериментальные и *ex-postfacto*.

По мнению Сильвейры и Кордовы (2009), исследование позволяет приблизиться к реальности, подлежащей исследованию, и понять ее как постоянно незавершенный процесс. Оно осуществляется через последовательные подходы к реальности, обеспечивая субсидии для вмешательства в нее. По мнению этого автора, научное исследование - это результат детального опроса или изучения, проводимого с целью решения проблемы с использованием научных процедур. Оно исследует квалифицированного человека или группу (субъект исследования), обращаясь к какому-либо аспекту реальности (объект исследования), чтобы экспериментально доказать гипотезы (экспериментальное исследование), или описать его (описательное исследование), или изучить его (исследовательское исследование). Для того чтобы провести исследование, необходимо выбрать метод исследования. В зависимости от особенностей исследования могут быть выбраны различные типы исследований, при этом возможно сочетание качественных и количественных методов.

Исследование будет включать в себя качественный и количественный подход, а также описательное исследование. Качественный подход является наиболее подходящим способом поиска ответов на поставленные вопросы и представляет собой исследование случая. Согласно Тейшейре (2003, с.127), характеристиками качественного исследования являются:

"Исследователь наблюдает за фактами с точки зрения человека, находящегося внутри организации; исследование стремится к глубокому пониманию контекста ситуации; исследование подчеркивает процесс событий, то есть последовательность фактов во времени; исследовательский подход будет более неструктурированным, если в начале исследования нет гипотез. Это придает исследованию большую гибкость; и в исследовании обычно используется более одного источника данных".

По мнению Десландеса (1997), качественная оценка касается вовлеченных социальных субъектов, а также их ценностей и убеждений, когда она фокусируется на образовательных действиях для определенной группы, учитывая включение каждого в процесс, не исключая его.

Кордони-младший (2005) представляет кейс-стади как качественный метод, позволяющий углубленно изучать конкретную единицу или случай, характеризующийся как система, которая может варьироваться от человека, учреждения, услуги, группы населения или даже мероприятия в рамках конкретной программы. Для разработки метода используются различные техники, такие как наблюдение, интервью и анализ документов, и эти инструменты также применяются в других качественных методах.

В данном исследовании будут использоваться полуструктурированные интервью, которые, согласно Ричардсону (1999), разрабатываются с помощью точных, заранее сформулированных вопросов. Весь процесс проходит под руководством интервьюера. Эта техника предоставляет интервьюеру большую свободу по сравнению с анкетированием.

Контент-анализ состоит из трех этапов, которые, согласно Минайо (2000, с. 209), включают в себя: предварительный анализ, изучение материала, обработку полученных результатов и интерпретацию.

Общее чтение этих документов должно быть тщательным, чтобы исследователь мог погрузиться в их содержание. Эта задача называется "плавающим чтением", которое, по мнению Тривиноса (2000), позволяет исследователю достичь двух фундаментальных вещей: определить корпус исследования и широкие гипотезы исследования.

Таким образом, анализировать - значит разложить целое на составные части, чтобы провести более полное исследование. Однако важно не воспроизвести структуру плана, а указать на типы связей, которые существуют между представленными идеями (Marconi & Lakatos, 2001).

Поэтому качественная методология уместна для оценки программ инклюзии образования, включая доступность, поскольку она включает в себя анализ смыслов и ценностей, основанных на социальных отношениях. Она позволяет выявить образы, лежащие в основе практик и поведения, связанных с проблемой доступности, и дает возможность разработать стратегии и осуществить действия, которые будут более чувствительны к этим ожиданиям (пользователей).

Совместно с количественным подходом, используемым Далфово, Ланой и Сильвейрой (2008), этот метод характеризуется применением количественных показателей как в процессе сбора информации, так и в процессе ее обработки с использованием статистических методов, от самых простых до самых сложных. Как уже говорилось выше, его отличительной чертой является стремление гарантировать точность проводимой работы, что приводит к получению результата с малой вероятностью искажения. В целом, как и экспериментальные исследования, количественные полевые исследования руководствуются исследовательской моделью, в которой исследователь исходит из концептуальных рамок, которые максимально хорошо структурированы, на основе которых он формулирует гипотезы о явлениях и ситуациях, которые он хочет изучить. Затем из гипотез выводится список следствий. При сборе данных особое внимание уделяется цифрам (или информации, преобразуемой в цифры), которые позволяют проверить возникновение или отсутствие последствий, а затем принять (пусть и условно) или нет гипотезы. Данные анализируются с помощью статистики посредством количественных полевых исследований.

### 3.1.3 - Объекты исследования

Объектом исследования станут менеджеры образовательных услуг в частном секторе, а точнее, частные колледжи в юго-восточном мезорегионе Пара, которые спонтанно согласятся принять участие в исследовании.

Выборка будет отбираться случайным образом, изначально определив минимальную качественную выборку в 20 испытуемых, поэтому выбор выборка будет гибкой. Поскольку исследование является одновременно качественным и количественным, сбор данных будет завершен после того, как будут решены поставленные исследователем задачи и достигнуты цели.

Испытуемые будут проинформированы о целях исследования, назначении результатов, гарантии конфиденциальности информации и их личностей.

Информанты не получат никаких стимулов для участия в исследовании, их автономия будет сохранена, и они смогут в любой момент покинуть исследование, не предполагая причинения им какого-либо вреда.

## 3.2 СЛЕДУЯ ПО ПУТИ В ПОИСКАХ НАШИХ ДАННЫХ

### 3.2.1 Методы и инструменты сбора данных

Сбор данных будет осуществляться путем интервью с руководителями учебных заведений в соответствии со сценарием (Приложение А), с использованием записанных заявлений для дополнения данных. Руководителям образовательных учреждений объяснят необходимость записи их заявлений и попросят дать разрешение на эту процедуру. Для идентификации руководителей образовательных учреждений будет использоваться португальский алфавит, написанный заглавными буквами, за которыми следуют кардинальные номера (например, G1, G2, G3...), что гарантирует конфиденциальность личности информантов.

Интервью будут назначены заранее, после предварительного телефонного контакта, а контакты будут получены в муниципальном управлении образования.

Интервью будут состоять из структурированных вопросов, адресованных руководителям учебных заведений, без каких-либо вопросов со стороны исследователя. Следует также отметить, что присутствие третьих лиц во время интервью не допускается.

По окончании всех интервью, когда данные будут насыщены, будут составлены отдельные листы, которые также будут идентифицированы, чтобы расшифровать информацию и переписать ее на компьютер, что поможет интерпретировать данные и получить результаты.

3.2.2 - Критерии включения

В исследование будут включены все менеджеры по образованию старше 18 лет, имеющие как минимум степень бакалавра, обоих полов, проработавшие в должности не менее одного года. Все, кто согласится принять участие в исследовании, подпишут форму свободного и информированного согласия (FICF). Следует также подчеркнуть, что ИКФ будет подписана в двух экземплярах: один - информантом, другой - ответственным исследователем.

3.2.3 - Критерии исключения

Из исследования будут исключены менеджеры моложе 18 и старше 60 лет, не учащиеся и не работающие в высших учебных заведениях сети.

3.2.4 - Этическое отношение к исследованиям

Проект будет представлен в Комитет по этике научных исследований МЦС UFPA и будет соответствовать положениям резолюции 466/12 Национального совета по здравоохранению:

Этические аспекты исследований с участием человека; б) требование свободного и информированного согласия участников исследования; в) правила составления протоколов исследований, требующих предоставления информации об исследовании (исследовательский проект о субъектах исследования). (Бразилия, 2012)

Форма свободного и информированного согласия - FICF (Приложение B) будет представлена для семантического анализа.

3.3 ПОКАЗАТЬ НАШИ РЕЗУЛЬТАТЫ В КОНТЕКСТЕ ИСПОЛЬЗУЕМОГО ПОВЕДЕНИЯ

### 3.3.1 Оценка рисков и преимуществ исследований

Исследование будет сопряжено с определенным риском для испытуемых, поскольку в ходе него будут проводиться интервью с участниками, однако исследователь будет постоянно придерживаться этических норм, сохраняя личность людей, а также их частную жизнь, и эта информация будет содержаться в ICF.

Преимущества исследования для руководителей образовательных учреждений заключаются в использовании полученных результатов в качестве инструментов для принятия решений по инклюзии образования и улучшении доступности студентов с ограниченной мобильностью в частных высших учебных заведениях в мезорегионе Пара, субсидировании усовершенствования услуг, все более гарантирующих всеобъемлющий и универсальный характер.

### 3.3.2 Путь к поиску ответов

Данные будут проанализированы с помощью процессов, учитывающих высказывания участников исследования и расшифровку индивидуальных анкет. Будет использована упрощенная техника контент-анализа.

Когда корпус будет сформирован, материал будет организован в соответствии со следующими стандартами валидности: исчерпывающий - в этом стандарте материал охватывает все аспекты, затронутые в сценарии; репрезентативность - материал смог представить вселенную, намеченную исследованием; однородность - материал подчинялся ценным критериям выбора в плане техники и собеседников и релевантность - когда материал соответствовал поставленным целям.

При формулировании направляющих и объективных вопросов будут установлены первоначальные гипотезы, поскольку реальность не отвечает на поставленные теоретические вопросы. Для этого будут разработаны гибкие вопросы, которые позволят получить новые вопросы в результате исследовательских процедур.

Когда материал будет изучен, он будет закодирован с помощью следующих шагов: а) тексты будут разбиты на единицы записи (слова, фразы, темы, персонажи) и б) данные будут агрегированы, а затем отобраны в теоретические или эмпирические категории, чтобы определить темы.

Количественный подход проверяет частоту встречаемости изучаемых явлений, а качественный подход анализирует и интерпретирует полученные результаты (Cozby, 2003).

По окончании сбора данных их результаты будут табулированы в Microsoft Office for Excel

2007, а также будет проведен описательный анализ данных, в котором будут указаны частота и процентное соотношение переменных. Для анализа корреляции между инструментами использовался корреляционный тест Пирсона *r с* учетом 95% доверительного интервала для значимости результатов. Для представления результатов были построены графики и иллюстративные таблицы.

Шкала Лайкерта - это тип психометрической шкалы ответов, обычно используемый в анкетах, и наиболее распространенная шкала в опросах общественного мнения. Отвечая на вопросы анкеты, основанной на этой шкале, респонденты указывают степень своего согласия с тем или иным утверждением. Свое название эта шкала получила благодаря публикации доклада РенсисаЛайкерта, в котором объяснялось ее использование.

Необходимо проводить различие между шкалой Лайкерта и пунктом Лайкерта. Шкала Лайкерта - это сумма ответов, данных на каждый пункт шкалы Лайкерта. Поскольку пункты обычно сопровождаются визуальной аналоговой шкалой (например, горизонтальной линией, на которой респондент указывает свой ответ отметками), их иногда называют шкалами. Это вызывает большую путаницу. Лучше использовать 'Likert scale' для общей шкалы и 'itemLikert' для каждого отдельного элемента.

Элемент Лайкерта - это просто утверждение, на которое респондент отвечает с помощью критерия, который может быть объективным или субъективным. Как правило, вы хотите измерить уровень согласия или несогласия с утверждением. Обычно используется пять уровней ответов, хотя некоторые исследователи предпочитают использовать семь или даже девять уровней. Таким образом, типичный формат пункта Лайкерта таков:

(1) Я не совсем согласен

(2) Частично не согласен

(3) Равнодушие

(4) Частично согласен

(5) Я полностью согласен

Шкала Лайкерта является биполярной и измеряет либо положительный, либо отрицательный ответ на утверждение. Иногда используется четыре пункта, что заставляет респондента сделать положительный или отрицательный выбор, поскольку центрального варианта "Безразлично" не существует.

Шкалы Лайкерта могут быть подвержены искажениям по разным причинам, например: респонденты могут избегать крайних ответов, соглашаться с представленными утверждениями или пытаться показать себя или свои компании/организации в более выгодном свете. Однако разработка шкалы с более сбалансированными ответами может решить проблему отклонений, связанных с согласием с утверждениями, но два других вопроса более проблематичны.

После того как на вопросы анкеты получены полные ответы, можно проанализировать каждый пункт отдельно или, в некоторых случаях, сложить ответы, чтобы получить результат по группе пунктов.

Еще один спорный момент - можно ли считать элементы Лайкерта данными интервального уровня или их следует рассматривать только как упорядоченные категориальные данные. Многие считают эти пункты только упорядоченными данными из-за того, что при наличии всего пяти уровней опрашиваемый может не воспринимать парные уровни как равноудаленные. С другой стороны, как в приведенном выше примере, ответы явно подразумевают симметрию уровней вокруг центральной категории. Более того, если предмет сопровождается визуальной аналоговой шкалой, где четко обозначены равные расстояния между уровнями, аргумент в пользу того, чтобы рассматривать их как интервальные уровни, становится еще сильнее.

## 3.4 ИСПОЛЬЗУЕМЫЕ МЕТОДЫ

### 3.4.1 - *t-тест* Стьюдента

*t-статистика* была введена в 1908 году Уильямом Сили Госсетом, химиком пивоваренной компании Guinness в Дублине, Ирландия ("Студент" был его псевдонимом). Госсет был принят на работу благодаря новаторской политике Клода Гиннеса, который нанимал лучших выпускников Оксфорда и Кембриджа на должности биохимика и статистика на заводе Guinness. Госсе разработал *t-тест* как дешевый способ контроля качества стаутов. Он опубликовал *t-тест* в научном журнале Biometrika в 1908 году, но был вынужден использовать псевдоним по вине своего работодателя, который считал, что использование им статистики является промышленным секретом. На самом деле, личность Госсе не была признана его коллегами-статистиками (Milone, 2004).

По мнению Оливейры (2010), проверка гипотез или *t-тест* - это второй аспект статистического вывода. Его цель - проверить с помощью выборочных данных достоверность определенных гипотез, относящихся к одной или нескольким популяциям. Понятно, что формулировка гипотез о популяции не является надежной, но она связана с выборочными значениями, подчеркивающими, обоснованы ли утверждения или нет.

*t-тест* Стьюдента для двух выборок - параметрический тест, широко используемый для сравнения двух переменных. Тест был применен к переменным "Доступность", "Включенность" и "По умолчанию". Также были проведены тесты для следующих переменных: доступность x инклюзия; доступность x дефолт и инклюзия и дефолт.

*t-тест* Стьюдента или просто t-тест - это тест на гипотезу, который использует статистические концепции для отклонения или не отклонения нулевой гипотезы, когда тестовая статистика соответствует *t-распределению* Стьюдента.

Это предположение обычно используется, когда тестовая статистика действительно следует нормальному распределению, но дисперсия совокупности неизвестна, поэтому в работе и был использован этот метод. В данном случае используется дисперсия выборки, и при такой корректировке тестовая статистика теперь соответствует распределению *t* -Student.

Проверка гипотез - это форма статистического вывода. Гипотезы - это утверждения о параметрах популяции, которые проверяются на предмет того, верны они или нет.

Таким образом, *t-тест* состоит из формулирования нулевой и, соответственно, альтернативной гипотез, вычисления значения *t по* соответствующей формуле и применения его к функции плотности вероятности t-распределения Стьюдента, измерения размера области под этой функцией для значений, больших или равных *t*. Эта область представляет собой вероятность того, что среднее значение рассматриваемой выборки (выборок) представило наблюдаемое значение (значения) или что-то более экстремальное. Эта область представляет собой вероятность того, что среднее значение рассматриваемой выборки (выборок) показало наблюдаемое значение (значения) или что-то более экстремальное. Если вероятность такого результата очень мала, можно сделать вывод, что наблюдаемый результат статистически значим. Эта вероятность также называется *p-значением.* Следовательно, уровень доверия альфа равен 1 - *p-значению*.

Обычно для p-значения или доверительного уровня используется "точка отсечения", определяющая, следует ли отвергать нулевую гипотезу или нет. Если *p-значение* меньше этой "точки отсечения", нулевая гипотеза отвергается. В противном случае нулевая гипотеза не отвергается.

Поэтому обычно в качестве "точки отсечения" используются значения p-value 0,1%, 0,5%, 1%, 2% или 5%, что делает уровни доверия 99,9%, 99,5%, 99%, 98% или 95% соответственно. Если в качестве "точки отсечения" используется *p-значение* 5%, а площадь под функцией плотности вероятности t-распределения *Стьюдента* меньше 5%, то можно сказать, что нулевая гипотеза отвергается при доверительном уровне 95%. Обратите внимание, что отвергнуть нулевую гипотезу - не то же самое, что сказать, что альтернативная гипотеза верна при том же доверительном уровне. Это было бы неверной интерпретацией теста (Downing & Clark. 2006).

В процессе проверки статистических гипотез мы всегда должны точно знать, чего ожидать в случае истинности гипотезы, поэтому сформулированная нами гипотеза часто противоречит тому, что мы хотим доказать, и обозначается как Ho. Таким образом, выражение нулевая гипотеза применяется к любой гипотезе, установленной специально для того, чтобы проверить, может ли она быть отвергнута, а гипотеза, которую мы принимаем в качестве нулевой альтернативы, то есть гипотеза, которую мы принимаем, когда нулевая гипотеза отвергается, называется альтернативной гипотезой и обозначается H1. Эта гипотеза всегда должна быть сформулирована вместе с нулевой гипотезой, потому что в противном случае мы не будем знать, когда отвергать Ho. (Freund, 2000).

3.4.2 . - Анализ отклонений (ANOVA)

Анализ дисперсии (ANOVA) отвечает за одновременное сравнение более чем двух групп. Этот тест также известен как *F-тест* в честь Фишера и предназначен для сравнения различий между средними через дисперсии, выборочные показатели которых должны быть измерены на уровне интервала или отношения.

Дисперсионный анализ - это процедура, используемая для сравнения трех или более обработок. Существует множество разновидностей ANOVA из-за различных типов экспериментов, которые могут быть проведены.

В основе дисперсионного анализа лежит предположение о том, что дисперсии совокупностей равны. Эта дисперсия оценивается по дисперсии выборочных средних и среднему значению выборочных дисперсий. ANOVA основан на том, что общая дисперсия выборочных данных равна сумме дисперсий внутри и между выборками (Milone, 2004).

## 3.5 АНАЛИЗ И ОБСУЖДЕНИЕ ДАННЫХ, ПОЛУЧЕННЫХ В ХОДЕ НАШЕГО ИССЛЕДОВАНИЯ

Ниже приведена группа, показывающая *p-значение.* Обратите внимание, что *p-значение* во всех ситуациях > 1% уровня значимости (0,01), т.е. первоначальная гипотеза Ho не может быть отвергнута. Ниже приведены предварительно установленные гипотезы.

Таблица 1: Р-значения для групп "Доступность", "Включение" и "По умолчанию

| Группы | P-value | Fcalc | Tcalc |
|---|---|---|---|
| Доступность / Инклюзивность | 0,2064 | 1,6522 | 1,2854 |
| Доступность / По умолчанию | 0,0977 | 2,8824 | 1,6977 |

| | | | |
|---|---|---|---|
| Доступность / Инклюзивность | 0,8240 | 0,5013 | 0,2239 |
| Доступность / Инклюзивность / По умолчанию | 0,2398 | 1,4641 | |

*t1%*;38 = 2,7116**;** Результат *p-значения*, теста Фишера и *t-теста* Стьюдента для переменных: доступность, инклюзивность и дефолт;

В таблице 2 представлен дисперсионный анализ для доступности и инклюзии, в ходе которого были разработаны следующие гипотезы:

Ho: Результаты по доступности и инклюзивности были одинаковыми;

H1: Результаты доступности и инклюзивности различаются.

Таблица 2: Анализ дисперсии для доступности и инклюзивности

| *Источник вариаций* | *SQ* | *gl* | *MQ* | *F* | *P-value* | *Критический F* |
|---|---|---|---|---|---|---|
| Между группами | 0,9 | 1 | 0,9000 | 1,6522 | 0,2064 | 7,3525 |
| Внутри групп | 20,7 | 38 | 0,5447 | | | |
| Всего | 21,6 | 39 | | | | |

Согласно *p-значению* 0,2064 для переменных "Доступность" и "Инклюзия", мы можем сделать вывод, что первоначальная гипотеза не может быть отвергнута, поэтому результаты для "Доступности" и "Инклюзии" оказались одинаковыми.

В таблице 3 приведен дисперсионный анализ для показателей "Доступность" и "Дефолт", в ходе которого были разработаны следующие гипотезы:

Ho: Результаты по доступности и дефолту были одинаковыми;

H1: Результаты по доступности и дефолту были разными.

Таблица 3: Вариационный анализ для доступности и дефолта

| *Источник вариаций* | *SQ* | *gl* | *MQ* | *F* | *P-value* | *Критический F* |
|---|---|---|---|---|---|---|
| Между группами | 1,22 | 1 | 1,2250 | 2,8824 | 0,0977 | 7,3525 |
| Внутри групп | 16,2 | 38 | 0,4250 | | | |
| Всего | 17,4 | 39 | | | | |

Согласно *p-значению* 0,0977 для переменных Affordability и Default, мы можем сделать вывод, что первоначальная гипотеза не может быть отвергнута, так как результаты для Affordability и Default оказались одинаковыми.

В таблице 4 приведен дисперсионный анализ для показателей "Доступность" и "Дефолт", в ходе которого были разработаны следующие гипотезы:

Ho: Результаты по включению и по умолчанию совпадают

H1: Результаты "включения" и "отказа" различаются.

Таблица 4: Вариационный анализ для инклюзии и дефолта

| *Источник вариаций* | *SQ* | *gl* | *MQ* | *F* | *P-value* | *Критический F* |
|---|---|---|---|---|---|---|
| Между группами | 0,03 | 1 | 0,0250 | 0,0501 | 0,8240 | 7,3525 |
| Внутри групп | 19 | 38 | 0,4987 | | | |
| Всего | 19 | 39 | | | | |

Согласно *p-значению* 0,8240 для переменных Inclusion и Default, мы можем сделать вывод, что первоначальная гипотеза не может быть отвергнута, так как результаты для Inclusion и Default были одинаковыми.

В таблице 5 приведен дисперсионный анализ для показателей "Доступность" и "Дефолт", в ходе которого были разработаны следующие гипотезы:

Ho: Результаты по параметрам "Доступность", "Инклюзивность" и "По умолчанию" оказались одинаковыми;

H1: Результаты по показателям "Доступность", "Инклюзивность" и "По умолчанию" были разными.

Таблица 5: Анализ дисперсии для доступности, инклюзивности и дефолта

| *Источник вариаций* | *SQ* | *gl* | *MQ* | *F* | *P-value* | *Критический F* |
|---|---|---|---|---|---|---|
| Между группами | 1,43 | 2 | 0,7167 | 1,4642 | 0,2398 | 4,9981 |
| Внутри групп | 27,9 | 57 | 0,4895 | | | |
| Всего | 29,3 | 59 | | | | |

Согласно результатам, полученным с помощью статистических методов, гипотеза заключает в себе сильную взаимосвязь между исследуемыми пунктами: Доступность, Инклюзивность и Дефолт, что подтверждается содержанием интервью, проведенных с руководителями частных высших учебных заведений.

В этом отношении мы понимаем, что чем выше процент неплатежей, тем меньше учреждение может инвестировать в доступность. Возможно, это связано с тем, что количество людей с ограниченными возможностями так мало по сравнению с "обычными" людьми? А может быть, учреждения не заботятся о том, чтобы учитывать эти особенности, потому что не считают это инвестицией?

Результаты также показывают, что чем ниже доступность, тем ниже инклюзия. Но как мы можем гарантировать, что повышение доступности приведет к повышению инклюзии? Эффективная инклюзия зависит от демократического и эффективного процесса с партнерскими отношениями с организациями, поддерживающими доступность для студентов с особыми образовательными потребностями, учитывая, что колледжи сами по себе не могут удовлетворить потребность в адаптации МПК.

Политика включения учащихся с особыми образовательными потребностями - это не просто небольшие приспособления, такие как пандус или лестница в рамках параметров доступности, на которые ссылались руководители, чтобы определить разрешение инклюзивного процесса. Однако очевидно, что инклюзия начинается с доступности, что не менее важно.

В настоящее время вопросы инклюзии и доступности являются неразделимыми биномами, хотя перед лицом финансовых трудностей, вызванных дефолтом, переживаемым в нынешней ситуации в Бразилии, законодательные аспекты свидетельствуют об отголосках сегрегационной практики, благоприятствуя процессу инклюзии через доступность (Sitientibus, 2011).

Что касается доступности, то до сих пор наблюдается странное отсутствие таких процессов, поскольку управляющий в силу закона обязан гарантировать структурные условия, в соответствии с законом № 10.098/2000:

> "Статья 13: Здания для частного использования, в которых обязательна установка лифтов, должны быть построены в соответствии со следующими минимальными требованиями доступности:
>
> I - доступный маршрут, связывающий жилые помещения с внешней средой и объектами общего пользования;
>
> II - доступный маршрут, соединяющий здание с общественным шоссе, вспомогательными зданиями и службами общего пользования, а также с соседними зданиями;
>
> III - кабина лифта и входная дверь доступны для людей с ограниченными возможностями или ограниченной подвижностью.
>
> Ст. 14: Здания, которые будут построены с более чем одним этажом в дополнение к этажу доступа, за исключением одноквартирных жилых домов, и в которых не требуется установка лифта, должны иметь технические и проектные спецификации, облегчающие установку адаптированного лифта, а другие элементы общего пользования в этих зданиях должны соответствовать требованиям доступности.
>
> Статья 15: Федеральный орган, ответственный за координацию жилищной политики, должен будет регулировать резервирование минимального процента общего

> количества жилья в соответствии с характеристиками местного населения для удовлетворения потребностей людей с ограниченными возможностями или ограниченной мобильностью".

Для решения этой проблемы *существует* правовое средство, ведь если будет установлено, что законодательство не соблюдается, то есть права людей с особыми образовательными потребностями не соблюдаются или нарушаются, необходимо немедленно обратиться в прокуратуру, которая в рамках своих полномочий примет меры, предусмотренные законом 13.146/2015:

> "Ст. 7 Каждый обязан сообщать в компетентный орган о любой форме угрозы или нарушения прав инвалида. Если при выполнении своих функций судьям и судам становятся известны факты, характеризующие нарушения, предусмотренные настоящим Законом, они должны передать дело в прокуратуру для принятия соответствующих мер."

Следует также отметить, что проект доступности должен был быть изначально одобрен муниципальным генеральным планом, в котором управляющий должен был бы выполнять свои демократические обязанности в муниципалитете, гарантируя инклюзию и доступность, как диктует сам Совет по генеральному плану. Таким образом, с момента утверждения генерального плана мы уже видим ошибку, поскольку сам совет должен был указать на недостатки застройки.

Среди всех казусов, независимо от физической проблемы, важно подчеркнуть, что для достижения прогресса в улучшении преподавания необходимо, чтобы руководители осознавали реальный спрос со стороны студентов с особыми потребностями и находили средства решения для построения постепенного процесса адаптации к новой образовательной реальности, создавая институциональные и педагогические практики, которые гарантируют качество преподавания для всех студентов.

Aprile и Barone (2008) подчеркивают, что решением проблем неплатежей, с которыми сталкиваются частные вузы, является финансирование, предложенное федеральным правительством Бразилии, которое передает государственные ресурсы частным образовательным учреждениям, освобождая их от налогов, взимаемых с доходов от их деятельности.

По мнению Маркеса (2006), "два фактора являются главными злодеями сектора, когда речь заходит о невыполнении обязательств: законодательство, которое защищает студента, и недостаточная адаптация учебных заведений к новой рыночной реальности". В большинстве случаев вузы не используют критерии для проверки наличия у студентов финансовых средств для оплаты обучения, что способствует росту числа неплатежей и даже отсеву.

Для менеджеров программы финансирования стали более действенной мерой финансового оздоровления как из-за избытка созданных вакансий, так и из-за падения реальных доходов и высокого уровня безработицы, которые являются причиной неплатежей и отсева, предвидя пределы неплатежей, которые они могут понести из-за обстоятельств экономического кризиса, с которым столкнулись студенты в частной сети.

Образовательные дефолты могли бы быть гораздо ниже, если бы вузы более решительно обжаловали действия неплательщиков или проводили прозрачную политику взыскания, с дифференцированным обслуживанием и четко определенными наказаниями, но при этом принимали бы решительные меры против ситуации активной задолженности.

Существует несколько причин, по которым неплатежи за обучение столь высоки, в том числе действующее законодательство, Закон № 9,870/99, который определяет важные детали между подрядчиком и стороной, заключившей договор:

> Статья 5. Уже зачисленные учащиеся, если они не имеют задолженности, имеют право продлить свое зачисление в учебное заведение в соответствии с расписанием занятий, школьными правилами или условиями договора.
>
> Ст. 6 Приостановка школьных экзаменов, отказ в выдаче документов или применение любых других образовательных санкций на основании невыполнения обязательств запрещены, а к исполнителю применяются, где это возможно, юридические и административные санкции в соответствии с Кодексом защиты прав потребителей и статьями 177 и 1.092 Гражданского кодекса Бразилии, если невыполнение обязательств длится более 90 дней.

В статье 5 говорится о праве студентов возобновить свое зачисление в конце учебного года или семестра. Неплательщики являются исключением. Однако в законе есть лазейка, поскольку в нем не совсем ясно указано, что неплательщикам может быть отказано в зачислении. В качестве небольшого поощрения для учебных заведений существует Временная мера (МР) № 2.091-16, которая гласит: "§1° Отчисление студента за неуспеваемость может произойти только в конце учебного года или, в высших учебных заведениях, в конце учебного семестра, когда учебное заведение переходит на семестровый режим обучения". Таким образом, эта Временная мера дополняет Закон 9.870/99, запрещающий отчисление студентов в течение учебного года или семестра. Она предлагает альтернативу - отказ в зачислении студента, имеющего задолженность по взносам, однако такой отказ может иметь место только в момент возобновления зачисления, то есть в конце семестра или учебного года. До этого момента студент имеет право участвовать во всех образовательных мероприятиях без каких-либо ограничений, независимо от размера его задолженности.

Статья 6 определяет Закон 9.870/99, в соответствии с которым учебные заведения являются "Законом о неуспеваемости". В нем говорится, что к студентам, не сдавшим экзамены, не применяются педагогические санкции.

Одной из стратегий сокращения количества неплатежей, которые становятся проблемой для менеджера, является использование таких стратегий, как ежемесячные призы и ежегодные балльные планы, две основные стратегии которых направлены на стимулирование студентов к своевременной оплате обучения. Участие в ежемесячных призах позволяет студентам своевременно вносить плату за обучение и участвовать в ежемесячных розыгрышах. Они могут получить один или несколько купонов, с помощью которых можно разыграть различные призы, включая скидки на оплату обучения или даже на некоторые ежемесячные платежи. В рамках плана "Годовые баллы" клиенты, которые платят вовремя каждый месяц, получают определенный приз в конце года.

Еще одна ценная стратегия сокращения безнадежных долгов - использование банковских систем инкассации. В частности, банковских слипов и электронных платежей. Использование дебетовых и кредитных карт облегчает клиентам регулярные платежи, помогает сократить число должников и предотвратить убытки.

Кроме того, взыскание просроченной задолженности следует поручать специализированным компаниям. В договоре на оказание услуг, подписываемом клиентом, должно быть указано, что в случае возникновения задолженности будет использована именно эта форма взыскания и что стоимость услуг по взысканию будет оплачена должником.

Такие стратегии, как годовой план начисления баллов, когда в конце года студент получает определенный приз, набирая определенные баллы за то, что не пропускает занятия и вовремя вносит плату за обучение. Студент, оплативший последний взнос, либо получает бесплатную месячную плату за следующий курс. Таким образом, студенческие премии настаивают на том, чтобы ценить студентов, поощряя их к тому, чтобы они становились лучшими примерами для подражания. Важную роль в этом контроле играют и преподаватели, которые всегда следят за поведением студентов и их успеваемостью на курсах в учебных заведениях.

Результаты исследования показывают, что мы можем подтвердить гипотезу о том, что перед менеджерами, помимо их важной роли в обеспечении качественного образования, стоит задача создания доступных и инклюзивных учреждений, даже перед лицом проблем, связанных с отсутствием планирования и федеральных финансовых ресурсов.

# ЗАКЛЮЧИТЕЛЬНЫЕ СООБРАЖЕНИЯ

В заключение следует отметить, что ценности качественного образования в условиях этого процесса инклюзии представляют собой многочисленные трудности не только политико-педагогического, но и финансового характера. Качественное образование не соответствует тому, что написано в проекте, и сталкивается с очень высокими барьерами и требованиями, которые необходимо преодолеть.

В настоящее время менеджеры, опрошенные в этих городах, имеют схожие характеристики: поиск точки равновесия, чтобы пережить финансовые трудности, такие как дефолты и отсутствие трансфертов от федерального правительства через учебные программы, упомянутые выше, такие как FIES и PROUNI, и, с другой стороны, поиск путей решения проблемы давления со стороны налоговых органов, таких как MEC и прокуратура, через общество, которое требует эффективной адаптации в области доступности и инклюзивности образования.

Этот процесс длителен и утомителен для менеджеров, чья цель - конкретная реализация плана по обеспечению инклюзивности и доступности. Учитывая нынешний финансовый и политический кризис в Бразилии.

Вывод заключается в том, что менеджерам трудно реагировать на закон и требования общества, которые все чаще требуют от них адаптации, не прощая финансовых проблем самого общества, которое является частью студенческого корпуса, составляющего учебные заведения. Я бы подчеркнула, что ограничения, с которыми сталкиваются менеджеры, связаны со способами взимания платы со студентов, где закон покрывает и поддерживает их в случае дефолта, делая деликатный способ работы по взиманию платы, где вуз не сможет разоблачить и запретить студентам осуществлять свою академическую деятельность.

Эта работа была чрезвычайно важна для выяснения трудностей, с которыми сталкиваются частные высшие учебные заведения, поскольку, к сожалению, не всем из них удается предложить качественное образование в соответствии с высокими требованиями, предъявляемыми к менеджерам, из-за беспорядка в государственной политике и неудач в процессе управления с точки зрения планирования и исполнения.

# ССЫЛКИ

Алмейда, М. С. (2016). Инклюзивное школьное образование в XXI веке: могут ли дети ждать так долго? Available at: Accessed on: 14 Aug. 2016.

Альварес, Л. (2010). Правительство отменяет требования к поручителям для FIES для студентов с низким уровнем дохода. Available at: Accessed on: 18 Sep. 2016.

Амиральян, М. Л. Т. (1997). Понимание слепых: психоаналитический взгляд на слепоту через рисунки-истории. Сан-Паулу: FAPESP/Casa do Psicòlogo.

Арройо, М. Г. (2008). Неудача-успех: влияние школьной культуры и организации базового образования. Em aberto, v. 11, n. 53, 2008.

Бразильская ассоциация технических стандартов (2004). Norma Brasileira 9050:2004, Item Escolas, p.87. Доступно на сайте: www.mj.gov.br/sedh/ct/C0RDE/dpdh/corde/ABNT/NBR9050-31052004.pdf.

Ассоциация инвалидов-физиков Вале-ду-Риу-Парду (2004). Руководство по социальной интеграции людей с ограниченными возможностями: мир для всех. Вале-ду-Риу-Парду: ADEFI.VRP,.

Aprile, M. R., & Barone, R. E. M. (2008). Государственная политика в области доступа к высшему образованию и интеграции в мир труда - программа "Университет для всех" (PROUNI) в вопросе. In *Congresso Português de Sociologia* (Vol. 6).

Баптиста, К. Р., Кайадо, К. Р. М., Хесус, Д. М. (2008). Специальное образование: диалог и плюрализм. Порту-Алегри. Editora Mediaçao.

Baptista, C. R., Jesus, D. M. (2009). Достижения в политике инклюзии: контекст специального образования в Бразилии и других странах. Порту-Алегри: Медиасао.

Баптиста, К. Р., Мачадо, А. М. (2006). Инклюзия и школьное образование: многочисленные перспективы. Порту-Алегри: Медиасао.

Барселос, А. М. Ф. (2012). Убеждения об изучении языка, прикладная лингвистика и преподавание языков. Revista Linguagem & Ensino, v. 7, n. 1, p. 123156.

Barros, A. J. S., & Lehfeld, N. A. S. (2007).Fundamentos de metodologia cientifica. Sao Paulo 2 ed.

Баррос, М. В. О. (2014). FIES: государственная политика по обеспечению доступа и постоянства в высшем образовании.

Баррозо, А. Ф. (2012). Доступность спорта, культуры и досуга для людей с ограниченными возможностями. Cadernos de pós-graduaçao em distûrbios do desenvolvimento, v. 12, n. 2, p. 16-28.

Борхес, А. М. Р (2011). Краткое введение в международное право прав человека. Jus Navigandi. http://jus2. uol. com.br/doutrina/texto.asp,

Bortoli, I. A., &De Jesus, J. S. (2014). Управление дефолтом в частном базовом учебном заведении. Negôciosemprojeçao, v. 5, n. 1.

Бразилия (1961). Закон о руководящих принципах и основах национального образования. LDB 4.024, от 20 декабря 1961 года. Бразилиа: MEC/SEE. Книги и законы, цитируемые в разделе "Стоимость".

Бразилия (1996). Закон № 9.394 от 20 декабря 1996 года. Бразилиа: DF.

Бразилия. Министерство образования. Секретариат по специальному образованию (2003). Программа инклюзивного образования: право на разнообразие. Доступно по адресу: http://portal.me.

Бразилия (2001). Статут ребенка и подростка: Закон № 8.069 от 13 июля 1990 года, Закон № 8.242 от 12 октября 1991 года. 3. изд. Бразилиа: Палата депутатов, Координация публикаций.

Бразилия. Министерство образования. Департамент специального образования (2016). Школьная инклюзия учащихся с особыми образовательными потребностями - ФИЗИЧЕСКАЯ НЕДОСТАТОЧНОСТЬ. Бразилиа - DF.

Бразилия (1988). Конституция Федеративной Республики Бразилия. Бразилиа: ДФ. Accessed on: 08 August 2015.

Бразилия (2000). Закон 10.048/00. О помощи людям с ограниченными возможностями со стороны компаний общественного транспорта и концессионеров общественного транспорта. Бразилиа: DF.

Бразилия (1996). Закон 9.394/96: Закон № 9.394 от 20 декабря 1996 года, который устанавливает руководящие принципы и основы национального образования. Обновлено по состоянию на 8/6/2016. Издание: 12ª

Бразилия (2000). Министерство образования и культуры. Закон № 10.098, 19 ДЕКАБРЯ (цитируется по 06/2009). Доступно по адресу: www. portal.mec.gov.br/arquivos/pdf/lei10098.pdf.

Бразилия (2014). Министерство образования. Институт педагогических исследований - Inep - Образовательная перепись.

Бонфиглио, С. У., Бебер, Б., да Силва, Е. (Мар.2014). Академический менеджмент: исследование с участием высших учебных заведений в долине Итажаи - Санта-Катарина. Revista da UNIFEBE.

Буриго, К. К., Дутра, Эспиндола, К. М., Соуза, С. К. (2013).Университет: социальное воздействие и процесс развития инклюзивного образования.

Калдас, Л. Р.; Морейра, М. М.; Спосто, Р. М. (2015). Доступность для людей с ограниченными возможностями передвижения в соответствии с требованиями стандарта эффективности - тематическое исследование для общих зон жилых зданий в Бразилиа - DfF (doi: 10.5216/reec. V10i2. 33083). REEC-Revista Eletrônica de Engenharia Civil, v. 10, n. 2,

Кампос, Р. С. (2012). Глухота: социально-педагогические проблемы на ее историческом пути.

Chaves, C. L. J., Amaral, N. C. (2009). Высшее образование в Бразилии: проблемы расширения и финансирования и сравнение с другими странами. Revista Educaçao em Questao, v. 51, n. 37, p. 95-120, 2015.коммуникация и сигнализация: физическая инвалидность. Бразилиа: DF.

Кардосо, М. С. (2009). Исторические аспекты специального образования: от исключения к инклюзии - долгий путь. In: STOBÀUS, C. D., MOSQUERA, J. J. M. (Org.). Educaçao especial: em direção à educaçao inclusiva. Porto Alegre.

Кордони-младший, Л. (2005). Разработка и оценка коллективных проектов в области здравоохранения. Лондрина: Эдуэль.

Коста, И. О. (2013). Педагогическое вмешательство и включение студентов с особыми потребностями в занятия по физическому воспитанию.

Коста, П. М., Марра, С. Б. Ф., Пиау, Э. Т. (2009). Инклюзивное образование для людей с особыми образовательными потребностями в государственных школах. In: Anais do Encontro de Pesquisa em Educaçao e Congresso Internacional de Trabalho Docente e Processos Educativos.

Да Сильва, К. А.; Алвес, Ж. Б.; Билессимо, С. М. (2016).Предпринимательство и образование: предложение для применения в базовом образовании. Семинар по исследованиям, аспирантуре и инновациям.

Dalfovo, M. S., Lana, R. A.; Silveira, A. Métodos quantitativos e qualitativos: um resgate teórico. RevistaInterdisciplinarCientificaAplicada, v. 2, n. 3, p. 1-13, 2008.

De Andrade, M. M., &Strauhs, F. R. (2006). Компетенции, необходимые менеджерам частных высших учебных заведений: исследование в Куритибе и столичном регионе. Revista Gestao

Industrial, 2(03), 87-102.

ДеФранса, И. С. Х., Пальюка, Л. М. (2009). Социальная интеграция людей с ограниченными возможностями: достижения, проблемы и последствия для сестринского дела. Revista da Escola de Enfermagem da USP, v. 43, n. 1, p. 178-185,.

Дельпино, Р. Высшее образование: новый профиль координатора курсов. Латиноамериканская встреча научных инициатив (2008).

Дишингер, М., Мачадо, Р. (2006). Разработка действий по созданию доступных школьных пространств: инклюзия. Журнал специального образования. Секретариат по специальному образованию. Бразилиа: SEE, v.1, n.1, p.14-17.

Фейхо, А. Р. А. О. (2009). Конституционное право на доступность для людей с ограниченными возможностями или ограниченной мобильностью.

Фернандеш, Р. К. А. (2012). Координация курсов для студентов: от государственной политики к институциональному управлению.

Фигейредо, Р. В. А (2009). Образование детей младшего возраста и школьная инклюзия. Гетерогенность, культура и образование. Бразильский журнал образования. Бразилиа: SEE, v.15, n.1, p.121-140, янв.-абр.

Garghetti, F. C., Medeiros, J. G., Nuernberg, A. H. (2013). Краткая история умственной отсталости.Revista Electrónica de Investigación y Docencia (REID), n. 10,.

Институт образовательных исследований (2013). Sinopses Statistics of Higher Education - Graduation. Available at:< http://portal.inep.gov.br/superiorcensosuperior-sinopse>. Accessed on 07 Sep, 2016.

Ламоника, Д. А. К. (2008). Доступность в университетской среде: выявление архитектурных барьеров в кампусе USP в Бауру. Rev. Bras. Educ. Espec. v.14, n.2, p. 177-188.

Лох, М. В. (2007). Конвергенция между пространственной доступностью школ, конструктивистской педагогикой и инклюзивными школами. 269 стр. Диссертация (доктор наук в области производственного инжиниринга) - программа аспирантуры в области производственного инжиниринга, UFSC, Флорианополис.

Лурейро, Б. Р. К. (2011). Неолиберальная реформа образования: политический анализ предоставления правительством Жозе Серры премий за заслуги (2007-2010 гг.) учителям в сети штата Сан-Паулу.

Мачадо, Д. С. (2009). Сокращение дефолта в секторе образования: эффективные политики и стратегии, которые работают. 2 изд.

Магалхаес, Э. А. (2010). Стоимость обучения по программе бакалавриата в федеральных учебных заведениях: на примере Федерального университета Висозы. Revista de Administraçao Pùblica, v. 44, n. 3, p. 637-666,.

Маринс, Ж. Т. М.; Невес, М. Б. Е. (2013). Дефолты по кредитам и экономический цикл: исследование взаимосвязи на бразильском рынке корпоративных кредитов. Бразилиа: Центральный банк Бразилии - Департамент исследований и разработок.

Мартинс, Э. (2003). Учет затрат. 9. изд. Сан-Паулу: Атлас.

Mastella, A. S., &Dos Reis, E. A. (2008). Руководители высших учебных заведений и развитие управленческих компетенций.

Маццотта, М. Дж. С. (1996).Специальное образование в Бразилии: история и государственная политика. Сан-Паулу: Кортес.

Мендес, А. Б. (2009). Оценка условий доступности для слабовидящих людей в зданиях в Бразилиа - тематические исследования. Диссертация (степень магистра архитектуры и урбанизма). Факультет архитектуры и урбанизма. Университет Бразилиа. Бразилиа: DF.288p.

Мендес, Э. Г. (2006). Радикализация дебатов о школьной инклюзии в Бразилии. RevistaBrasileira de Educaçao. v. 11 n. 33 sep./dec.

Мендес, Э. Г. (2011). Краткая история специального образования в Бразилии. Revista Educación y Pedagogia, v. 22, n. 57, p. 93-109.

Милоне, Г (2009). Общая и прикладная статистика. Сан-Паулу: Centage Learning. ISBN 85221-0339-9. Глава 12.

Мораес, Р (2004). Новый взгляд на город. Роль муниципалитета в обеспечении доступности. Ресифи, с. 5.

Насименто, Р. П. (2009).Подготовка учителей к содействию инклюзии учащихся с особыми образовательными потребностями.

O'Салливан, С. Б.; Шмитц, Т. Дж. (2010) Физиотерапия: оценка и лечение. 5[a] .ed. Сан-Паулу: Маноле.

Одорико, О Б. (2015). Возможные коллизии в законодательстве об инклюзивном образовании в его нормативных аспектах и реализация основного права на образование для учащихся с нарушениями интеллекта в системе государственных школ в Какоале.

Perez Júnior, J.; Oliveira, L.; Costa, R. (2001).Gestao Estratégica de Custos. Сан-Паулу: Атлас.

Перес, Х. Х. (2008). Gestao Estratégica de Custos, 5[a] Ed. Sao Paulo: Atlas.

Prado, A. R. (2001).Unidades de Politicas Pùblicas. Municipioacessivelaocidadao. Сан-Паулу,

Проданов, К. К.; Де Фрейтас, Э. К. (2013). Metodologia do Trabalho Cientifico: Métodos e Técnicas da Pesquisa e do Trabalho Acadêmico-2a Ediçao. EditoraFeevale,

Родригес, А (2011). BNDES продвигает слияния компаний. Available at: Accessed on: 18 Sep. 2016.

Саббаг, Е.М. (2009). Руководство по налоговому праву. D Ed. Sao Paulo: Saraiva.

Silveira, S. F. R; Reis W.V. (2010).Custo do ensino de graduaçao em instituições federais de ensino superior: o caso da Universidade Federal de Viçosa. Rap - Rio de Janeiro, v. 44, n. 3, p. 637-66,

Сильвейра, Д. Т.; Кордова, Ф. П. (2009). Блок 2 - Научные исследования. Методы исследований, т. 1.

Сикейра, А. Д. (2011). Налоговый менеджмент. Revista CEPPG-CESUC-Centro de Ensino Superior de Catalao-ISSN, p. 1517-8471.

Siviero, A. L. P. A (2009). Важность управления затратами как инструмента конкурентоспособности в высших учебных заведениях: исследование на примере Университетского центра Еврипида в Марилии-Унивеме.

Соарес, Л. Х. (2013). Управление образовательными учреждениями: частное высшее образование и новые параметры устойчивости. Universitas. Gestao e Tecnologia, v. 3, n. 2.

Соарес, О. Ж. М. (2014). На кончике карандаша: исследование методологии расчета индекса текущих расходов на студенческий эквивалент в Федеральном университете Пернамбуку.

Танака, О. Й.; Мело, К. (2001). Оценка программ по охране здоровья подростков - как это сделать Глава IV. Сан-Паулу: Edusp.

Тейшейра, Э. Б. А (2003). Анализ данных в научных исследованиях: важность и проблемы в организационных исследованиях. Desenvolvimento em Questao, v. 1, n. 2, p. 177-201.

# ПРИЛОЖЕНИЯ

ПРИЛОЖЕНИЕ А

QUESTIONNAIRE

ИДЕНТИФИКАЦИЯ

Организация/субъект:

Единица измерения: Имя:

1. В соответствии с этим утверждением отметьте альтернативу, соответствующую той, которую вы считаете верной с вашей точки зрения как менеджера. "Высшие учебные заведения должны решать важную проблему доступности".

(1) Сильно не согласен

(2) Я не согласен

(3) Я не согласен и не возражаю

(4) По материалам

(5) Полностью согласен

2. Сложность адаптации вашего устройства для обеспечения полной доступности для людей с ограниченными возможностями или ограниченной подвижностью связана с высоким уровнем требований, предъявляемых правилами доступности:

(1) Сильно не согласен

(2) Я не согласен

(3) Я не согласен и не возражаю

(4) По материалам

(5) Полностью согласен

3. Планирует ли высшее учебное заведение проводить какие-либо адаптации для студентов с особыми образовательными потребностями и ограниченной мобильностью (инвалиды-колясочники)?

(1) Сильно не согласен

(2) Я не согласен

(3) Я не согласен и не возражаю

(4) По материалам

(5) Полностью согласен

4. Как руководитель, ваше высшее учебное заведение приспособлено для студентов с особыми образовательными потребностями и ограниченной мобильностью (инвалиды-колясочники).

(1) Сильно не согласен

(2) Я не согласен

(3) Я не согласен и не возражаю

(4) По материалам

(5) Полностью согласен

5. Также много говорят об интеграции людей с ограниченными возможностями. Есть ли разница между инклюзией и интеграцией?

(1) Сильно не согласен

(2) Я не согласен

(3) Я не согласен и не возражаю

(4) По материалам

(5) Полностью согласен

(6) Подготовлена ли команда преподавателей вашего учебного заведения к процессу инклюзии?

(1) Сильно не согласен

(2) Я не согласен

(3) Я не согласен и не возражаю

(4) По материалам

(5) Полностью согласен

7. Сопротивление достижению эффективной инклюзии в высшем образовании представлено в классах студентов и преподавателей.

(1) Сильно не согласен

(2) Я не согласен

(3) Я не согласен и не возражаю

(4) По материалам

(5) Полностью согласен

8. Согласны ли вы с тем, что классы, в которых учатся студенты с ограниченными возможностями, должны быть меньше?

(1) Сильно не согласен

(2) Я не согласен

(3) Я не согласен и не возражаю

(4) По материалам

(5) Полностью согласен

9. Как руководитель, вы считаете, что текущая система контроля неисполнения обязательств очень эффективна и не требует ресурсов для восстановления неисполненных обязательств:

(1) Сильно не согласен

(2) Я не согласен

(3) Я не согласен и не возражаю

(4) По материалам

(5) Полностью согласен

10. Альтернативные варианты, которые могут помочь улучшить процесс возврата кредитов, включают в себя наем сотрудников с единственной задачей по возврату долгов и предложение рассрочки или скидок при погашении долга.

(1) Сильно не согласен

(2) Я не согласен

(3) Я не согласен и не возражаю

(4) По материалам

(5) Полностью согласен

ПРИЛОЖЕНИЕ В

| Менеджеры | Q-l | Q-2 | Q-3 | Q-4 | Q-5 | Q-6 | Q-7 | Q-8 | Q-9 | Q-10 |
|---|---|---|---|---|---|---|---|---|---|---|
| Gl | 5 | 2 | 5 | 2 | 5 | 2 | 2 | 5 | 1 | 5 |
| G2 | 3 | 2 | 5 | 2 | 5 | 2 | l | 5 | 3 | 3 |
| G3 | 3 | 4 | 5 | 3 | 4 | 4 | 3 | 5 | l | 5 |
| G4 | 3 | 3 | 5 | 2 | 3 | 3 | 3 | 5 | 4 | 3 |
| G5 | 4 | 3 | 5 | 2 | 5 | 2 | 3 | 5 | l | 3 |
| G6 | 5 | 2 | 4 | 2 | 4 | 3 | 3 | l | 2 | 5 |
| G7 | 5 | 2 | 4 | 3 | 5 | 3 | 4 | 5 | 2 | 5 |
| G8 | 5 | l | 2 | 2 | 2 | 2 | l | 2 | 4 | 3 |
| G9 | 4 | 5 | 5 | 4 | 3 | 5 | l | l | 2 | 4 |
| G10 | 5 | 3 | 3 | 3 | 2 | l | 2 | 5 | 3 | 3 |
| Gll | 5 | 3 | 5 | l | 5 | l | 4 | 5 | l | 5 |
| G12 | 4 | 3 | l | l | 4 | l | 2 | 5 | 2 | 5 |
| G13 | 5 | 3 | 5 | 2 | 5 | 3 | 3 | 5 | l | 4 |
| G14 | 5 | 2 | 2 | 2 | 5 | 2 | 2 | 4 | 2 | 2 |
| G15 | 4 | 5 | 4 | 4 | 4 | 3 | 2 | l | l | 5 |
| G16 | 4 | 3 | 2 | 2 | 4 | 2 | 2 | 4 | 2 | 5 |
| G17 | 4 | l | 4 | l | l | l | l | l | 2 | 4 |
| G18 | 5 | l | 4 | 2 | 4 | 2 | 2 | 4 | 2 | 4 |
| G19 | 5 | 3 | 5 | 2 | 5 | 3 | 3 | 5 | l | 4 |
| G20 | 5 | 3 | 5 | 2 | 5 | 3 | l | 3 | 2 | 4 |

Milton Keynes UK
Ingram Content Group UK Ltd.
UKHW010853280324
440101UK00001B/216